HISTOIRE DU CHEVALIER DES GRIEUX
ET DE MANON LESCAUT

ANTOINE-FRANÇOIS PRÉVOST D'EXILES

April 8, 1979
you can't weigh life unless
you have something in the scales

HISTOIRE DU CHEVALIER DES GRIEUX ET DE MANON LESCAUT

Chronologie et préface

par

Henri Coulet
chargé d'enseignement à la Faculté des Lettres
et Sciences humaines d'Aix-en-Provence

GARNIER-FLAMMARION

CHRONOLOGIE [1]

1697 (1ᵉʳ avril) : Naissance à Hesdin d'Antoine-François Prévost, second fils de Liévin Prévost, procureur du roi du bailliage d'Hesdin, et de Marie Duclaie.

1705-1712 (environ) : Etudes au collège des jésuites d'Hesdin, y compris une première année de rhétorique.

1711 (28 août) : Mort de Marie Duclaie, mère de Prévost.

Entre **1712** et **1720** : Prévost hésite entre la carrière des armes et l'état ecclésiastique. Il est sans doute volontaire à la fin de la guerre de Succession d'Espagne (1712). Il semble avoir fait ensuite une seconde année de rhétorique au collège d'Harcourt.

Admis le 17 mars 1717 chez les jésuites, il étudie la logique à La Flèche. Il les quitte, peut-être pour s'engager une seconde fois comme volontaire dans la guerre contre l'Espagne (1718-1719). Il faut encore placer dans cette période un premier voyage en Hollande.

Fin **1720** : La « malheureuse fin d'un engagement trop tendre », suivant les propres termes de l'abbé Pré-

---

1. Les principales données de cette chronologie sont tirées de H. Harrisse : l'*Abbé Prévost, histoire de sa vie et de ses œuvres*, Paris, Calmann-Lévy, 1896, et de l'édition récente de *Manon Lescaut* par F. Deloffre et R. Picard dans la collection des Classiques Garnier (1965).

vost, le conduit à se réfugier chez les bénédictins, à Saint-Wandrille ou à Jumièges, en Normandie.

1721 (9 décembre) : Après un an de noviciat, Prévost fait profession, à Jumièges, de rester fidèle à la règle de saint Benoît, dans l'austère congrégation de Saint-Maur.

1721-1728 : Prévost séjourne dans différentes abbayes bénédictines : celles de Saint-Ouen, à Rouen, du Bec, dans l'Eure, où il étudie la théologie, de Fécamp, avant d'être finalement envoyé à Paris, d'abord aux Blancs-Manteaux, puis, sans doute au début de 1728, à la célèbre abbaye de Saint-Germain-des-Prés. Pendant la même période, Prévost a une activité multiple : professeur au collège de Saint-Germer, prédicateur à Evreux, il s'occupe aussi d'histoire et de littérature. Il semble avoir participé à la rédaction des *Aventures de Pomponius, chevalier romain, ou histoire de notre temps* (1724), pamphlet dans lequel sont maltraités divers personnages du temps, et notamment des bénédictins. Il est aussi ordonné prêtre du diocèse de Rouen, non sans des délais dont il garde du ressentiment. Vers la fin de son séjour chez les bénédictins, il concourt à un prix de l'Académie par une *Ode sur saint François Xavier, apôtre des Indes*, qui est classée seconde et sera publiée dans le *Mercure* de mai 1728. Enfin, il collabora à la composition collective intitulée *Gallia Christiana*, publiée par les bénédictins.

1728 (15 février) : Le manuscrit des deux premiers tomes des *Aventures d'un homme de qualité* est présenté au censeur pour une approbation, qui est accordée le 16 avril. L'ouvrage paraît chez les libraires Veuve Delaulne le Gras et Martin pendant l'été. Mlle Aïssé écrit en octobre : « Il y a ici un nouveau livre, intitulé *Mémoires d'un homme de qualité retiré du monde*. Il ne vaut pas grand-chose : cependant on lit 190 pages en fondant en larmes. »

1728 (18 octobre) : Prévost, qui a fait des démarches pour passer dans une branche moins sévère de l'ordre des bénédictins, mais n'en a pas reçu l'autorisation régulière, quitte l'habit de moine et se retire clandestinement de Saint-Germain-des-Prés. Il trouve un asile à Amiens. Après quelques hésitations, le supérieur de Saint-Germain demande son arrestation en rappelant qu'il est l'auteur d'un roman « qui a fait beaucoup de bruit dans Paris à cause d'une sottise qui s'y trouve sur le grand-duc de Toscane ».

1728 (6 novembre) : Une lettre de cachet est expédiée contre Antoine Prévost, religieux bénédictin.

1728 (19 novembre) : Un privilège est accordé pour les tomes III et IV des *Mémoires d'un homme de qualité*.

1728 (22 novembre) : L'abbé Prévost, qui est passé en Angleterre grâce à l'argent reçu des libraires, se présente à William Wake, archevêque de Cantorbéry, comme un nouveau converti à la religion anglicane.

1728 (novembre) - 1730 (novembre) : Premier séjour en Angleterre. L'abbé Prévost, grâce aux recommandations dont il est muni, jouit de la fonction de précepteur de Francis Eyles, fils de John Eyles, ancien directeur de la Banque d'Angleterre, ancien lord-maire de Londres, membre du Parlement et sous-gouverneur de la South Sea Company.

1730 (novembre) : Une « petite affaire de cœur » force Prévost à quitter la maison de John Eyles : averti que Prévost était sur le point de contracter un mariage secret avec sa fille Mary, sœur de Francis, John Eyles obtient qu'il quitte le pays. Prévost passe en Hollande, emportant les manuscrits de divers ouvrages auxquels il a travaillé en Angleterre.

1730 (décembre) : Prévost signe un contrat relatif à la publication de *Cleveland*.

1731 (23 janvier) : Annonce de la publication prochaine de la traduction, par l'abbé Prévost, de l'*Histoire du président de Thou*.

1731 (mars) : Première édition à Londres, en anglais, des deux premiers livres de *Cleveland*.

1731 (avril) : Demande de privilège, en France, pour

les deux premiers livres de *Cleveland*. Les journaux de Hollande commencent à annoncer la publication imminente des tomes V, VI et VII des *Mémoires et Aventures d'un homme de qualité*.

1731 (mai) : Publication de ces trois tomes : le dernier (tome VII) constitue l'édition originale de *Manon Lescaut* : « *Mémoires et Aventures d'un Homme de Qualité qui s'est retiré du monde*. Tome septième. A Amsterdam. Aux dépens de la compagnie, MDCCXXXI. »

Manon

1731 (printemps ou été) : L'abbé Prévost fait connaissance, à La Haye, d'une aventurière, Lenki Eckhardt, dont l'existence est désormais mêlée à la sienne pour une dizaine d'années.

1731 (juillet) : Publication des tomes I et II de *Cleveland*, à Utrecht, chez E. Neaulme.

1731 (octobre) : Publication chez le même libraire des tomes III et IV de *Cleveland*. Le libraire réclamera vainement la suite à Prévost.

1731 (10 novembre) : Lettre de Prévost, de La Haye, à Dom Clément de la Rue, bénédictin, dans laquelle Prévost parle de sa vie en Hollande (« point dévot, mais réglé dans ma conduite et dans mes mœurs ») et annonce qu'il travaille à la traduction de l'*Histoire de Thou*.

1732 : Les tomes V et VI des *Mémoires et Aventures d'un homme de qualité* paraissent en France chez le libraire Didot.

1733 (janvier) : Prévost passe en Angleterre avec Lenki, laissant derrière lui de nombreuses dettes, notamment envers les libraires qui lui ont fait des avances pour *Cleveland* et l'*Histoire de Thou*.

1733 (mars) : L'abbé Prévost entreprend, de Londres, un journal, le *Pour et Contre*, publié en France chez Didot, et dont le premier numéro paraît en juin 1733.

1733 (juin) : Première édition française, sans autorisation, de *Manon Lescaut*, par un libraire de Rouen.

1733 (5 octobre) : Saisie de *Manon Lescaut* par ordre de Roüillé, directeur de la librairie.

1733 (13 décembre) : L'abbé Prévost est incarcéré à la prison de Gate House à Londres sur la présomption d'avoir fait un faux billet à ordre, d'une valeur de 50 livres, au détriment de Francis Eyles, son ancien pupille. Il est remis en liberté le 18 décembre, Francis Eyles ayant probablement retiré sa plainte.

1733 (fin) : Publication à Amsterdam du premier volume de l'*Histoire de M. de Thou* dont Prévost est le principal auteur.

1734 (début) : Rentré clandestinement en France et réfugié d'abord en Artois, Prévost regagne bientôt Paris. En mars, il adresse au pape une requête pour demander l'absolution de ses fautes et l'autorisation de passer dans une branche moins sévère de l'ordre de saint Benoît.

1734 (5 juin) : Le pape Clément XII accorde à l'abbé Prévost l'indult requis par lui. Sa présence à Paris et ses visites chez Mme de Tencin sont signalées par des contemporains. Il travaille au *Pour et Contre*, abandonné pour un temps au moment de son emprisonnement en Angleterre.

1735 : Publication, en été, de la première partie du *Doyen de Killerine*, pour laquelle une approbation a été demandée en décembre 1734. Prévost suspend la publication de la suite, à un moment où il doit accomplir un second noviciat (septembre-décembre 1735) à l'abbaye bénédictine de la Croix-Saint-Leufroy, près d'Evreux. A l'issue de ce séjour, il devient aumônier du prince de Conti, chez qui il est désormais logé.

1736 : Prévost continue à rédiger le *Pour et Contre* dans lequel paraissent notamment l'éloge de pièces de Voltaire et une traduction des *Conscious Lovers* de Steele.

1737-1738 : Prévost songe à abandonner les « bagatelles » (journaux et romans) pour s'associer aux travaux des cardinaux de Bissy et de Rohan (*His-*

toire de la Constitution « *Unigenitus* »). Ce projet n'aboutit pas.

1738-1739 : Publication en Hollande (à cause de la « proscription des romans » qui sévit en France) de la suite de *Cleveland.*

1739 (23 septembre) : Prévost perd son père, Liévin Prévost, âgé de soixante-treize ans.

1739-1740 : Publication en Hollande de la suite et fin du *Doyen de Killerine.*

1740 (15 janvier) : Prévost, pressé par des besoins d'argent, offre ses services à Voltaire, qui les refuse et ne lui accorde pas l'avance de 1 200 livres qui lui est également demandée.

1740 (25 novembre) : Prévost remercie Voltaire de ses bons offices auprès du roi de Prusse et se déclare prêt à partir pour Berlin si on lui avance des fonds.

1740 : Prévost renonce définitivement à publier le *Pour et Contre*, parvenu à son vingtième tome.

1741 (25 janvier) : Prévost est obligé de quitter la France pour avoir aidé l'auteur d'une gazette clandestine. Il part pour Bruxelles, où il est recueilli par un seigneur autrichien.

1741 (février) : Le *Mercure* annonce la publication des *Mémoires pour servir à l'histoire de Malte* (deux vol., à Amsterdam, de l'abbé Prévost).

1741 (janvier-octobre) : Publication de diverses œuvres de Prévost : *Mémoires pour servir à l'histoire de Malte, ou Histoire de la jeunesse du commandeur de **** (Amsterdam, 2 vol.); *Campagnes philosophiques, ou Mémoires de M. de Montcal...* (*ibid.*, 2 vol.); *Histoire de Marguerite d'Anjou*, dont un certain nombre d'exemplaires sont saisis le 7 août 1741; *Histoire d'une Grecque moderne* (Amsterdam, 2 vol.).

1741 (19 octobre) : De Francfort-sur-le-Main, où il a accompagné son protecteur à l'occasion de l'élection de l'empereur, Prévost écrit à Bachaumont. Il lui annonce qu'il a sollicité sa grâce de Maurepas et qu'il lui est permis de rentrer en France. Allusion à « madame de Chester » qui est peut-être la « Lenki » rencontrée en Hollande : « madame de Chester étant mariée et partie pour la province, un travail médiocre me mettra toujours en état de n'être incommode à personne (...). C'est, comme vous le dites, ce qui pouvait arriver de plus heureux et pour elle et pour moi ».

1742 : Rentré en France, Prévost se livre à différents ouvrages d'édition. L'*Histoire de Guillaume le Conquérant* paraît chez Prault en mai avec une « permission tacite ». On publie à Londres *Paméla, ou la Vertu récompensée*, en quatre volumes. D'abord poursuivie en France (50 exemplaires sont saisis chez Guérin en janvier 1742), cette traduction est annoncée par le *Mercure* de décembre et se vend chez Prault avec permission tacite. La part qu'y prit Prévost n'est pas établie.

1743 : Publication de l'*Histoire de Cicéron*, traduite de l'anglais par Prévost (F. Didot, quatre volumes, avec approbation du 17 janvier 1743).

1744 : *Lettres de Cicéron à M. Brutus, et de M. Brutus à Cicéron* (chez Didot, avec approbation du 15 avril 1744). Prévost s'inspire d'une traduction anglaise de ces lettres, mais dit s'être attaché pour sa propre traduction « au seul texte latin ».

Voyages du capitaine Robert Lade (chez Didot, en deux vol., privilège du 28 juin 1743). L'abbé Prévost mêle une aventure romanesque à des récits de voyage réels.

1745 : *Lettres de Cicéron, qu'on nomme familières; traduites en français (...) Par M. l'abbé Prévost* (chez Didot, tomes I, II et III, approbation du 12 mars 1744).

Mémoires d'un honnête homme (à Amsterdam, 1745, 2 parties en un volume).

Un portrait de l'abbé Prévost est dessiné par Schmidt et gravé pour être placé en tête de l'*Histoire générale des voyages*.

1746 : Prévost, qui s'est installé dans une maison à Chaillot, commence la publication de l'*Histoire générale des voyages*, traduite de l'anglais. Les tomes I et II paraissent, in-4°, chez F. Didot, avec privilège du 23 janvier 1745.

1747 : *Lettres de Cicéron, qu'on nomme vulgairement familières...*, tomes IV et V. *Histoire générale des voyages*, tomes III et IV.

1748 : *Histoire générale des voyages*, tomes V et VI.

1749 : *Histoire générale des voyages*, tome VII. C'est ici que se termine la partie de l'ouvrage traduite de l'anglais. Les éditeurs anglais ayant cessé leur publication, Prévost continue seul l'entreprise.

1750 : *Manuel Lexique, ou Dictionnaire portatif des mots français dont la signification n'est pas familière à tout le monde* (F. Didot, 2 vol. in-12). Il s'agit, à l'origine, d'une traduction de l'ouvrage anglais de T. Dyche, enrichi par Prévost de divers articles.

Histoire générale des voyages, tome VIII. On a dit qu'il s'agit désormais d'une œuvre originale de Prévost, encouragé par d'Aguesseau et Maurepas.

1751 : *Lettres anglaises, ou Histoire de Miss Clarisse Harlove* (Londres, chez Nourse, 12 parties en six volumes). Traduction de Richardson par l'abbé Prévost.

Histoire générale des voyages, tome IX.

1752 : *Histoire générale des voyages*, tome X.

1753 : Edition définitive de *Manon Lescaut*, en deux vol., avec des figures, à Amsterdam, aux dépens de la compagnie (en fait chez Didot à Paris).

Histoire générale des voyages, tome XI.

1754 (20 juillet) : L'abbé Prévost est pourvu par le pape du prieuré de Gesne (diocèse du Mans) d'un revenu nominal de 2 000 livres.

1754 : *Manuel Lexique*, nouvelle édition considérablement augmentée (Didot).

Histoire générale des voyages, tome XII.

1755 (janvier) : L'abbé Prévost prend la direction du *Journal étranger*. Il l'abandonne en septembre à Fréron, sur les sollicitations du libraire Didot, inquiet sur la publication de l'*Histoire des voyages*.

1755 : *Nouvelles lettres anglaises ou Histoire du chevalier Grandisson* (Amsterdam, 5 parties), traduites par Prévost.

1756 : *Nouvelles lettres anglaises ou Histoire du chevalier Grandisson* (*ibid.*, suite et fin en trois parties).

Histoire générale des voyages, tome XIII.

1757 : *Histoire générale des voyages*, tome XIV.

1759 : *Histoire générale des voyages*, tome XV (ici s'arrête la collaboration de Prévost à l'entreprise).

1760 : *Histoire de la maison de Stuart sur le trône d'Angleterre*, par M. Hume (Londres, 3 vol. in-4). Traduction de l'abbé Prévost.

Le Monde moral, ou Mémoires pour servir à l'histoire du cœur humain (Genève, 2 vol.). Prévost interrompt cet ouvrage pour travailler à l'*Histoire de la maison de Condé*. Deux parties paraîtront en 1764, après sa mort.

1762 : *Mémoires pour servir à l'histoire de la vertu. Extraits du Journal d'une jeune dame* (Cologne, 4 vol.). Traduction par Prévost des *Memoirs of Miss Sydney Biddulph*, roman de F. Sheridan.

1763 : *Almoran et Hamet*, anecdote orientale, publiée pour l'instruction d'un jeune monarque (Londres, 1763, 2 parties). Traduction d'un ouvrage de J. Hawkesworth par l'abbé Prévost.

1763 (25 novembre) : Mort de l'abbé Prévost, frappé d'une attaque d'apoplexie lors d'une promenade, près de Chantilly.

1764 : Publication posthume des *Lettres de Mentor à un jeune seigneur*, traduites de l'anglais par M. l'abbé Prévost (Londres, 1 vol.). Il s'agit d'une œuvre originale, posthume, de l'abbé Prévost.

PRÉFACE

L'*Histoire du chevalier des Grieux et de Manon Lescaut* est le seul roman de l'abbé Prévost que la postérité ait reçu comme un chef-d'œuvre toujours vivant. Sa réputation exceptionnelle ne date pourtant que de la fin du XVIIIᵉ siècle; pour ses contemporains, Prévost fut l'auteur des *Mémoires et Aventures d'un homme de qualité* et surtout de *Cleveland*. Si l'on définit le roman comme un moyen d'expression littéraire assez récent, qui n'a pas été plié aux canons de la tradition classique, et dont l'objet est de peindre la réalité mouvementée du monde moderne et les passions qui l'animent, ces grandes œuvres en plusieurs volumes, auxquelles se joint *le Doyen de Killerine*, sont plus véritablement des romans que *Manon Lescaut* et méritent plus d'admiration : d'une part, elles couvrent un temps et un espace plus vastes, mettent en scène de plus nombreux personnages, combinent des intrigues plus compliquées et, tout en étant composées avec une sûreté ingénieuse, annoncent bien ce que devait devenir le roman aux XIXᵉ et XXᵉ siècles, une somme libérée de toute règle formelle, une résurrection de la vie; d'autre part, une question morale ou métaphysique y est explicitement posée, une enquête y est méthodiquement menée, sur le rapport de la volonté et des passions dans les *Mémoires d'un homme de qualité*, sur le bonheur et les fins dernières de l'homme dans *Cleveland*, sur l'adaptation des principes absolus de la vertu aux nécessités et aux usages de la vie mondaine dans *le Doyen de Killerine*, et l'on sait que le roman, aussi bien chez d'Urfé,

Mlle de Scudéry et Fénelon que chez Balzac et Proust, est voué aux démonstrations et aux analyses. Mais si, comme Paul Bourget, Albert Camus et bien d'autres, on loue particulièrement le roman français pour l'ordre, la mesure, la simplicité et l'élégance qui le caractérisent, on trouvera dans *Manon Lescaut* ces qualités qui assurent sa supériorité sur les autres romans de Prévost.

Elles viennent en partie du fait que *Manon Lescaut* n'est pas un *roman*, mais une *histoire*, ayant l'unité et la rapidité propres à ce genre de récits, et appartenant à un ensemble plus large, les *Mémoires d'un homme de qualité :* il y avait des *histoires* insérées dans presque tous les romans antérieurs à *la Princesse de Clèves*, de *l'Astrée* à *Zayde;* en 1713, *les Illustres Françaises* de Robert Chasles étaient un ensemble d'*histoires* réunies dans un même cadre; *Manon Lescaut* tient à la fois de l'*histoire*, telle qu'on la trouve dans le long roman où elle joue le rôle de « tiroir », et de la *nouvelle*, forme de récit court, à sujet et personnages modernes, qui a remplacé le long roman à partir de 1660; comme l'une, elle est un épisode marginal d'une action plus importante et elle est racontée à la première personne par le héros; comme l'autre, elle est courte et tragique.

Manon Lescaut est le plus court de tous les romans de Prévost; non que les aventures y manquent, mais, même chargée d'événements, l'histoire devait rester dans la vraisemblance, sinon sa rapidité et les ellipses qu'elle exigeait auraient jeté la confusion et l'obscurité dans l'œuvre. Or il est remarquable que Prévost économise les détails : nul pittoresque dans la traversée de l'Atlantique et l'arrivée en Louisiane, nulle péripétie surprenante, naufrage, enlèvement par des pirates, disparu retrouvé par miracle, identité mystérieuse soudainement révélée... Seul le malheureux Tiberge est victime d'un accident « romanesque »; il tient en quatre lignes et s'explique par deux raisons : rendre compte du fait que des Grieux soit resté longtemps au « Nouvel Orléans » sans lien avec l'Europe, et compenser l'absence de toute aventure de ce genre dans l'intrigue principale, comme si Prévost se sentait

tenu de livrer à ses lecteurs un épisode de corsaires. Les
sentiments sont aussi vraisemblables que les événements : assez amateur pourtant d'étrangetés psycho-
logiques, Prévost a donné à des Grieux une passion
d'une intensité exceptionnelle, mais non aberrante ni
aveugle; il a rendu saisissables et vrais les mouvements
des âmes, notamment dans la scène de Saint-Sulpice
entre Manon et des Grieux, et dans la scène où des
Grieux rejoint Manon chez le jeune G... M... Des trois
autres romans courts de Prévost, les *Campagnes philosophiques*, les *Mémoires pour servir à l'histoire de
l'ordre de Malte* et l'*Histoire d'une Grecque moderne*,
les deux premiers sont remplis de violences et de bizar-
reries, le troisième est trop en demi-teintes, trop habile-
ment énigmatique.

La signification de *Manon Lescaut* n'est pas discutée
dans de longues pages spéculatives, comme celles qui
font parfois languir l'intérêt à la lecture de *Cleveland* ou
du *Doyen de Killerine;* elle est dans le caractère et les
actions des personnages, difficile à démêler comme la vie
elle-même : profondeur sans subtilité, moralité sans
didactisme, obscurité due à la richesse de l'intuition et
non à la faiblesse de la démonstration, telles sont les
qualités de *Manon Lescaut*. Les problèmes antiques de la
liberté et de la fatalité, les problèmes chrétiens de la
grâce et de la Providence, le problème moderne de la
valeur du sentiment non seulement ont leur écho dans
ce livre, mais sont à sa base, comme dans les autres
œuvres de Prévost; la différence est qu'ils ne sont
jamais examinés pour eux-mêmes; le seul passage
théorique est, dans la conversation entre Tiberge et
des Grieux à Saint-Lazare, une profession de foi
vibrante, assez équivoque pour préserver le mystère des
cœurs et contribuer à l'action.

Manon Lescaut n'est pas insérée dans les *Mémoires
d'un homme de qualité*, mais leur est rattachée comme
un appendice constituant le livre VII et n'ayant pas
avec les autres de « rapport nécessaire », ainsi que
l'avoue lui-même l'auteur. Il ne faut pourtant pas nier
l'importance de cette disposition ni croire que l'Homme
de Qualité n'ait aucun rôle dans le récit que d'en

fournir l'occasion : des Grieux raconte; il n'écrit pas
ses *Mémoires*, qui supposeraient une sagesse acquise,
une rétrospection à long terme; il est encore près de
l'action, frémissant, abattu, parfois cynique; son récit
n'est pas un bilan, mais une découverte : il réfléchit et
se juge en se racontant, il reconnaît ce qu'il n'avait pas
aperçu au moment de l'action, rougit de ce dont il
n'avait pas eu le temps d'avoir honte; son récit est une
confession mal pénitente, et le ton de sa voix est un
élément de pathétique qui en nuance la signification;
jamais des *Mémoires* écrits n'auraient le naturel, l'emportement d'un passage comme celui-ci, où le narrateur semble oublier qu'il a été puni de son amour :
« Mon cœur crevait de rage à ce discours insultant!
Enfin, je me fis violence pour lui dire, etc. » « Enfin »
est à la fois un renseignement chronologique (« après
avoir crevé de rage ») et un mouvement d'impatience
dominé par le narrateur (« il est trop tard pour faire
des vœux impuissants; reprenons le fil de l'histoire... »).
Cette voix suppose un auditeur, et l'auditeur ici n'est
pas un indifférent ou un anonyme, c'est le marquis de
Renoncour, l'Homme de Qualité, qui nous a raconté
sa propre vie, qui a connu beaucoup de passions,
auquel des Grieux fait directement appel, et dont nous
comprenons les réactions. Par l'intermédiaire de cet
auditeur sympathique, nous éprouvons pour des
Grieux une charité fraternelle, beaucoup plus que de
l'indulgence et de la pitié, et ce sentiment doit avoir une
influence capitale sur le jugement que nous porterons
finalement du héros. Enfin les passages où l'Homme de
Qualité parle lui-même et qui servent de cadre au récit
du chevalier nous donnent de ce dernier trois vues
objectives; il nous est montré d'abord comme émi-
grant accompagnant un convoi de filles et animé d'une
étrange passion pour l'une de ces créatures; puis épave,
sauvé du naufrage total, reprenant pied parmi les
hommes après une disparition qu'on devine tragique;
enfin, très brièvement, entre la première et la deuxième
partie, homme ayant retrouvé les rapports humains et
repris le cours normal de la vie en société. Ainsi l'at-
mosphère tragique est créée dès le début et nous ne

l'oublions plus jusqu'à la fin, même au cours des épisodes plaisants ou heureux : le sceau du malheur marque
d'avance tous les événements, toutes les légèretés les
plus innocentes; nous pouvons même mesurer la durée
de ce malheur, le travail qu'il a accompli dans le temps,
car l'histoire qui nous est racontée est celle d'une
ruine progressive et inévitable dont nous saisissons les
effets par le rapprochement de deux moments séparés
par deux années, avant d'en suivre le cheminement pro-
gressif. Et la pause au milieu du récit, au contraire,
nous permet d'avoir confiance en l'avenir de des
Grieux, de pressentir qu'il se relèvera de sa ruine :
celui qui parle est là, il mange, il se repose, il vit, il
va vers un lendemain. Les *Mémoires d'un homme de
qualité* n'auraient donc rien perdu à ne pas comporter
de septième livre, mais *Manon Lescaut* a beaucoup
gagné à être rattachée aux *Mémoires d'un homme de
qualité*.

L'architecture du récit est d'une simplicité régulière :
les quatre épisodes qui la composent ne sont au fond
que la reprise d'un seul et même épisode où intervient
chaque fois un rival de des Grieux, successivement
M. de B..., le vieux G... M..., le jeune G... M... et
Synnelet. L'épisode de M. de B... est l'avertissement
du destin : si Manon n'allait pas le revoir par la suite
à Saint-Sulpice, des Grieux aurait pu être sauvé; mais
le destin n'avertit que pour frapper plus sûrement,
comme dans le drame d'Œdipe, et dès la première
rencontre à Amiens le lien entre des Grieux et Manon
est noué pour toujours. L'épisode du vieux G... M... et
celui du jeune G... M..., séparés par la pause du récit,
sont parfaitement symétriques : dans les deux cas
Manon se laisse tenter par la richesse, abandonne des
Grieux en lui adressant une lettre qui exprime son
inconscience, est regagnée par lui, le convainc d'escro-
quer le rival pour qui elle allait le trahir; dans les deux
cas les amants sont appréhendés au lit et conduits en
prison; dans les deux cas une évasion est entreprise,
elle réussit dans le premier cas, elle est manquée dans le
second, mais la déportation, en apparence, est encore
plus libératrice. Prévost a voulu que dans ces épisodes

les rivaux de des Grieux fussent non pas deux hommes
inconnus l'un de l'autre, mais justement le père d'abord,
le fils ensuite, et que les mêmes bijoux que le père
avait offerts à Manon lui fussent ensuite offerts par le
fils; la répétition fait que l'aventure est pour des
Grieux plus amère la seconde fois, comme une rechute.
L'épisode de Synnelet est une transposition tragique
du même schéma : un tiers puissant veut troubler l'en-
tente des deux amants qui se mettent d'accord pour
le fuir; mais cette fois Manon n'a rien fait pour l'attirer ni pour se cacher de des Grieux. Ayant épuisé tout
le malheur qu'il impliquait dans le milieu où il était
né, l'amour a été transporté dans un autre monde, et ce
changement n'a pas écarté la fatalité qui le condamne
à l'agression d'autrui, à la fuite et à l'échec. En 1753
Prévost a rompu la symétrie des quatre épisodes par
l'insertion de l'épisode du prince italien, transposition
comique, ou parodie, des aventures malheureuses que
Manon avait peut-être le dessein inconscient de conju-
rer ou de venger : au lieu de fuir l'amant riche, on le
chasse. L'esprit de revanche est fort chez Manon et
chez des Grieux, mais en voulant bafouer leur destin,
ils le provoquent.

L'action est rythmée par un triple mouvement : les
alternatives de fuites vers l'amour et hors de l'amour qui
chassent le couple de tous ses refuges et lui démontrent
qu'il n'y a pas de place pour lui sur la terre; les alternatives de hauts et de bas par lesquelles passe l'existence de des Grieux, selon la tradition du genre pica-
resque, faisant retomber chaque fois le héros dans une
situation plus difficile; les alternatives de violences et
de repos par lesquelles l'âme de des Grieux réagit et
s'adapte à ces situations : quand Manon lui échappe ou
quand il est dans le malheur, des Grieux entre dans des
états si violents qu'il s'évanouit, que sa colère est
effrayante même pour Lescaut, qu'il se jette sur le vieux
G... M... pour l'étrangler, qu'il songe à assassiner les
deux G... M..., le lieutenant général de police, et jusqu'à son propre père; au contraire, à d'autres moments
il se recueille, raisonne et se résigne aux sacrifices nécessaires : ainsi la pause pathétique après l'incendie de

Chaillot, lorsque des Grieux anxieux cherche de l'argent auprès de Tiberge et de Lescaut et s'arrête pour faire le seul « portrait » de Manon qui soit dans le livre : « Manon était une créature d'un caractère extraordinaire... » A travers ces alternatives, au long de cette décadence, l'âme de des Grieux s'accommode de son destin et gravit les degrés de son ascension spirituelle : des Grieux doit successivement abandonner son estime pour Manon, le souci de son ambition personnelle, ses liens avec sa famille, son honorabilité, et même son amitié pour Tiberge (ou du moins l'honneur et l'amitié ne subsistent qu'au prix de sophismes inquiétants), pour se plier aux humiliations que Manon lui impose. En même temps, il approfondit et décante son amour, fonde de mieux en mieux sur lui sa raison de vivre : après une aventure brûlante, le bon élève qu'il a été devient un brillant sulpicien, heureux de l'avoir échappé belle, mais prêt sans le savoir à se renflammer; puis il expose à Tiberge une conception de la morale qui fait de l'amour, du plaisir d'amour, la valeur suprême, ce qu'est pour d'autres la sainteté ou la vertu; puis il veut sanctifier cet amour en le faisant bénir par l'Eglise; et enfin il est prêt à mourir pour ne pas survivre à celle qu'il a aimée. C'est par là que *Manon Lescaut* est un roman d'apprentissage. Dans son ascension, des Grieux finit par entraîner Manon elle-même.

Que faut-il penser de cette ascension ? Ce qui était indigne faiblesse est devenu un idéal auquel des Grieux s'est sacrifié, mais le ciel n'a pas accepté son sacrifice. *Manon Lescaut* est un roman d'autant plus attachant qu'on peut l'interroger sans cesse et rester incertain sur la leçon à en tirer. L'amour est un plaisir, qui semble ne pouvoir se passer d'un certain raffinement matériel : Manon ne peut pas bien aimer si elle a faim, des Grieux lui-même sait que les âmes délicates comme la sienne souffrent beaucoup plus que les autres du manque d'argent; aussi le budget, les domestiques, les spectacles, les bijoux, les meubles, les carrosses tiennent-ils dans ce roman une place discrète, mais capitale. *Manon Lescaut* est peut-être le premier roman

d'amour à évoquer les problèmes de logement, et si
la personne physique de Manon n'est jamais décrite,
elle est partout présente et le caractère sensuel de
l'amour partout discrètement exprimé. Ce plaisir de
l'amour est conforme à la nature de l'homme (« Toute
notre félicité consiste dans le plaisir »), rien n'est à
mettre en balance avec lui, ni vie, ni gloire, ni fortune;
mais sans changer d'essence, l'amour se purifie au
cours du roman en éliminant tout ce qui n'est pas lui,
et des Grieux, dans une sorte d'extase, peut s'écrier,
quand il est au comble de la misère : « O Dieu! je ne
vous demande plus rien. » La « délicatesse » sensible
aux besoins matériels est ainsi dépassée, des Grieux
a la certitude d'être aimé et, ce qui revient au même,
la certitude que Manon reconnaît et accepte son amour
comme un absolu. Des Grieux par une suite de renon-
cements, Manon par la découverte de la charité
suprême au fond de la déchéance ont transformé l'effet
d'une fatalité irrésistible en l'œuvre de leur volonté.
Des Grieux insiste sur ce caractère insurmontable de
la passion : il l'invoque comme une excuse, mais s'il
est dépouillé de sa liberté il est aussi porté vers l'amour
comme vers son propre accomplissement. La « délectation victorieuse » à laquelle il cède agit en lui comme
agit la grâce divine selon les jansénistes. Loin de se
sentir victime d'une possession démoniaque ou d'un
maléfice, il assume son destin et l'érige au niveau d'une
vocation.

A aucun moment des Grieux ne se repent d'avoir
aimé Manon; il parle de ses faiblesses honteuses, de
ses désordres, c'est-à-dire des circonstances de son
amour, mais il ne renie pas l'amour même : « L'amour
est une passion innocente. » La même formule se lit
dans *Cleveland*, où son sens est assez clair : l'amour des
créatures introduit à l'amour divin, la même impulsion
du cœur conduit de l'un à l'autre; l'amour humain de
Cleveland et de Fanny s'harmonise finalement avec
l'amour de Dieu, et l'amour aberrant de Cécile trouve
dans l'amour de Dieu sa satisfaction et sa fin légitime.
Mais quand des Grieux et Manon peuvent enfin
rendre innocentes les circonstances de leur amour,

Dieu leur refuse la consécration à laquelle ils aspiraient, il les châtie et les sépare. Il est difficile de croire que seule la mort pouvait les réunir et que le dénouement terrible de leur histoire soit le commencement ou la promesse d'un bonheur éternel. Loin de s'incliner devant la volonté de Dieu et d'élever des actions de grâce, des Grieux déclare qu'il passera le reste de sa vie à pleurer « un malheur qui n'eut jamais d'exemple », et il parle de sa maîtresse avec une vivacité passionnée qui exclut la transmutation de l'amour charnel en amour mystique. Est-ce pour cela qu'il est condamné, pour avoir idolâtré la créature, et, comble de l'égarement, voulu « sanctifier » (c'est le mot dans la version de 1731; en 1753 Prévost n'osera plus écrire qu' « ennoblir ») cette idolâtrie par des serments échangés devant un prêtre ? Visiblement, Prévost ne souscrit pas à cette condamnation. Des Grieux châtié est encore plus émouvant, et son amour encore plus admirable. L'épreuve qui l'a fait souffrir ne lui a pas fait dépasser sa souffrance. L'amour a été pour lui une cause de malheur, mais d'un malheur si total qu'il n'en peut rien conclure. Dans les derniers mots de son récit, les variantes sont significatives : selon le texte original, des Grieux entrait en religion, et il pouvait paraître étrange, sinon scandaleux, qu'un homme décidé à suivre « les voies de la pénitence » et à se livrer « entièrement aux exercices de la piété » rappelât sur un ton si enflammé les souvenirs d'une passion coupable. En 1753 la grâce divine n'est plus nommée, des Grieux n'est plus qu'un jeune noble qui après quelques années de l'aventure la plus honteuse et la plus exaltante reprend « des idées dignes de sa naissance et de son éducation ».

L'*Avis au lecteur* blâme des Grieux de se précipiter « volontairement » à sa perte et d'être malheureux « par choix »; on croit entendre les leçons que l'Homme de Qualité donnait à son élève le marquis dans les livres précédents, et qu'il était trop souvent incapable de pratiquer pour son propre compte : c'est notre volonté qui est coupable, il faut savoir maîtriser à leur naissance les dangereux penchants qui nous entraînent,

nos passions ne sont invincibles que parce que nous les
laissons croître, ne nous laissons jamais détourner des
principes solides d'honneur et de vertu... Mais ce n'est
pas sans motif que Prévost a donné jusqu'au bout la
parole au héros lui-même : quand on écoute le récit
de des Grieux, ces conseils de morale et cette médecine
des passions semblent parfaitement vains. Des Grieux
a reconnu et continue à reconnaître dans l'amour le
meilleur de lui-même, il l'identifie à son être : se
condamner pour avoir aimé serait se condamner d'être
ce qu'il est. Toute confession est apologétique, il ne
peut pas ne pas se pardonner, il ne peut pas parler
de son amour sans en revivre tout le charme, quitte à
concéder à la morale un léger arrangement des faits et
quelques accents de contrition qui n'arrivent pas à
étouffer sa dramatique interrogation sans réponse
sur le sens et la valeur de son existence. La beauté de
Manon Lescaut vient de la poésie pénétrante avec
laquelle est évoqué le bonheur d'aimer et de l'angoisse
qui accompagne sans cesse cette poésie et sourd parfois en cris et en plaintes. Sans effort et sans artifice,
Prévost retrouve les expressions et les inflexions du tragique racinien.

Mais la tragédie racinienne se déroule entre des
dieux et des princes, au lieu que le roman de Prévost a
pour héros, selon les termes de Montesquieu, « un
fripon » et « une catin ». Ni l'un ni l'autre n'est tel
par nature : la société a tout fait. Manon « était droite
et naturelle dans tous ses sentiments, qualité qui dispose toujours à la vertu » : le hasard, la naissance,
l'éducation, la faiblesse de caractère l'ont jetée dans
un monde de débauchés et de déclassés dont elle est
la victime; des Grieux est lié à ce milieu par Manon,
il en est lui aussi la victime, alors qu'il en serait l'ex-
ploiteur, s'il consentait à ne voir dans Manon que ce
que voient dans les filles de son genre les autres jeunes
gens de bonne famille, un instrument de plaisir; ces
gens qui vivent aux dépens des riches, joueurs, escrocs,
courtisanes, hommes de main, sont en lutte les uns
contre les autres et exposés à l'instabilité : un coup
manqué, une arrestation, l'épuisement de leurs res-

sources par la mort ou le caprice d'un protecteur,
une trahison, toutes sortes d'accidents peuvent les
perdre. Dans ceux qui accablent des Grieux il ne
faut pas voir des facilités romanesques que Prévost
se serait accordées, mais la réalité quotidienne; la
galanterie, l' « industrie » et la violence étant les seuls
moyens d'existence, le vol, l'incendie criminel ou
donnant occasion de pillage, l'infidélité des domestiques, l'assassinat sont monnaie courante; de plus,
cette société est très étroite et ce qui paraît un hasard,
comme le remplacement du père G... M... par le fils
auprès de Manon, l'amitié de M. de T... et du jeune
G... M..., l'arrivée du jeune G... M... dans l'hôtellerie
où des Grieux et Manon dînent avec M. de T...,
n'est que le résultat des relations complexes et constantes qui lient entre eux les membres de ce petit monde.
Sans avoir la curiosité sociologique de Lesage ou
l'esprit de revendication de Marivaux, Prévost a
très bien noté les caractères de ce milieu, son anarchie
morale, son improductivité, la complicité des riches
avec les déclassés et leur promptitude à la répression.
Même au « Nouvel Orléans », où la misère générale a
produit une espèce de justice et de solidarité sociales,
dès qu'un individu semble ne plus être en règle, et
c'est le cas pour des Grieux et Manon lorsqu'on
apprend qu'ils ne sont pas mariés, toutes les forces
répressives se tournent contre le déclassé et le rapport
du riche à l'instrument de son plaisir ressuscite entre
Synnelet et Manon : le « Nouvel Orléans » n'est que
l'enfer de la société parisienne.

Des Grieux, dira-t-on, ne pouvait pas adresser plus
mal son amour, à moins que Prévost n'ait voulu para-
doxalement prouver que le roman de la pègre, dont la
littérature anglaise lui offrait de beaux et forts exemples,
était capable de peindre des passions aussi intenses et
des sentiments aussi délicats que le roman aristocra-
tique ou la tragédie. Mais en fait l'amour de des
Grieux n'atteindrait pas l'intensité et la pureté auxquelles il s'élève s'il n'avait pas à surmonter tant d'obs-
tacles et à essuyer tant de hontes. La société le contraint
chaque fois à un choix délibéré qui le dégrade comme

être social et fait de son amour une passion plus parfaite. Pour être total, son sacrifice devait être ignoble et manquer de cette compensation que les héros de tragédies ou de romans aristocratiques trouvent dans la grandeur et dans la gloire. Au plus bas de l'abjection, des Grieux ne peut plus rien invoquer pour sa défense, que son amour : que le lecteur qui en a le courage le condamne.

Henri COULET.

BIBLIOGRAPHIE SOMMAIRE

L'ABBÉ PRÉVOST (Actes du colloque d'Aix-en-Provence, 20 et 21 décembre 1963). Aix-en-Provence, 1965.

AUERBACH (E.). *Mimesis* (Chap. XVI : « Das unterbrochene Abendessen »). Berne, 2e éd., 1959.

ENGEL (Claire-Eliane). *Le Véritable Abbé Prévost.* Monaco, 1958.

HARRISSE (H.). *L'Abbé Prévost, histoire de sa vie et de ses œuvres d'après des documents nouveaux.* Paris, 1896.

HAZARD (P.). *Etudes critiques sur « Manon Lescaut ».* Chicago, 1929.

HEINRICHE (P.). *L'Abbé Prévost historien de la Louisiane. Etude sur la valeur documentaire de « Manon Lescaut ».* Paris, 1907.

LASSERRE (E.). *Manon Lescaut, de l'abbé Prévost.* Paris, 1930.

MULLER (Walter). *Die Grundbegriffe der gesellschaftlichen Wirklichkeit in den Werken des abbé Prévost.* Marburg, 1938.

RODDIER (H.). *L'Abbé Prévost, l'homme et l'œuvre.* Paris, 1955.

SCHROEDER (Victor). *Un romancier français au XVIIIe siècle. L'Abbé Prévost, sa vie, ses œuvres.* Paris, 1898.

On trouvera une bibliographie plus détaillée et des renseignements complémentaires sur l'œuvre et son auteur dans l'édition de *Manon Lescaut* procurée par Fr. Deloffre et R. Picard, Paris, Garnier, 1965.

HISTOIRE DU CHEVALIER DES GRIEUX
ET DE MANON LESCAUT

AVIS DE L'AUTEUR

DES

Mémoires d'un homme de qualité.

Quoique j'eusse pu faire entrer dans mes Mémoires les aventures du chevalier des Grieux, il m'a semblé que n'y ayant point un rapport nécessaire, le lecteur trouverait plus de satisfaction à les voir séparément. Un récit de cette longueur aurait interrompu trop longtemps le fil de ma propre histoire. Tout éloigné que je suis de prétendre à la qualité d'écrivain exact, je n'ignore point qu'une narration doit être déchargée des circonstances qui la rendraient pesante et embarrassée. C'est le précepte d'Horace :

> Ut jam nunc dicat jam nunc debentia dici
> Pleraque differat, ac praesens in tempus omittat.

Il n'est pas même besoin d'une si grave autorité pour prouver une vérité si simple; car le bon sens est la première source de cette règle.

Si le public a trouvé quelque chose d'agréable et d'intéressant dans l'histoire de ma vie, j'ose lui promettre qu'il ne sera pas moins satisfait de cette addition. Il verra, dans la conduite de M. des Grieux, un exemple terrible de la force des passions. J'ai à peindre un jeune aveugle, qui refuse d'être heureux, pour se précipiter volontairement dans les dernières infortunes; qui, avec toutes les qualités dont se forme le plus brillant mérite, préfère, par choix, une vie obscure et vagabonde, à tous les avantages de la fortune et de la nature; qui prévoit ses malheurs, sans vouloir les éviter; qui les sent et qui en est accablé, sans profiter

des remèdes qu'on lui offre sans cesse et qui peuvent
à tous moments les finir; enfin un caractère ambigu,
un mélange de vertus et de vices, un contraste perpé-
tuel de bons sentiments et d'actions mauvaises. Tel est
le fond du tableau que je présente. Les personnes de
bon sens ne regarderont point un ouvrage de cette
nature comme un travail inutile. Outre le plaisir d'une
lecture agréable, on y trouvera peu d'événements qui
ne puissent servir à l'instruction des mœurs; et c'est
rendre, à mon avis, un service considérable au public,
que de l'instruire en l'amusant.

On ne peut réfléchir sur les préceptes de la morale,
sans être étonné de les voir tout à la fois estimés et
négligés; et l'on se demande la raison de cette bizarrerie du cœur humain, qui lui fait goûter des idées de
bien et de perfection, dont il s'éloigne dans la pratique.
Si les personnes d'un certain ordre d'esprit et de politesse veulent examiner quelle est la matière la plus
commune de leurs conversations, ou même de leurs
rêveries solitaires, il leur sera aisé de remarquer qu'elles
tournent presque toujours sur quelques considérations
morales. Les plus doux moments de leur vie sont ceux
qu'ils passent, ou seuls, ou avec un ami, à s'entretenir
à cœur ouvert des charmes de la vertu, des douceurs
de l'amitié, des moyens d'arriver au bonheur, des faiblesses de la nature qui nous en éloignent, et des
remèdes qui peuvent les guérir. Horace et Boileau
marquent cet entretien comme un des plus beaux traits
dont ils composent l'image d'une vie heureuse. Comment arrive-t-il donc qu'on tombe si facilement de ces
hautes spéculations, et qu'on se retrouve sitôt au
niveau du commun des hommes ? Je suis trompé si la
raison que je vais en apporter n'explique bien cette
contradiction de nos idées et de notre conduite; c'est
que, tous les préceptes de la morale n'étant que des
principes vagues et généraux, il est très difficile d'en
faire une application particulière au détail des mœurs
et des actions. Mettons la chose dans un exemple. Les
âmes bien nées sentent que la douceur et l'humanité
sont des vertus aimables, et sont portées d'inclination
à les pratiquer; mais sont-elles au moment de l'exer-

cice, elles demeurent souvent suspendues. En est-ce réellement l'occasion ? Sait-on bien quelle en doit être la mesure ? Ne se trompe-t-on point sur l'objet ? Cent difficultés arrêtent. On craint de devenir dupe en voulant être bienfaisant et libéral; de passer pour faible en paraissant trop tendre et trop sensible; en un mot, d'excéder ou de ne pas remplir assez des devoirs qui sont renfermés d'une manière trop obscure dans les notions générales d'humanité et de douceur. Dans cette incertitude, il n'y a que l'expérience ou l'exemple qui puisse déterminer raisonnablement le penchant du cœur. Or l'expérience n'est point un avantage qu'il soit libre à tout le monde de se donner; elle dépend des situations différentes où l'on se trouve placé par la fortune. Il ne reste donc que l'exemple qui puisse servir de règle à quantité de personnes dans l'exercice de la vertu. C'est précisément pour cette sorte de lecteurs que des ouvrages tels que celui-ci peuvent être d'une extrême utilité, du moins lorsqu'ils sont écrits par une personne d'honneur et de bon sens. Chaque fait qu'on y rapporte est un degré de lumière, une instruction qui supplée à l'expérience; chaque aventure est un modèle d'après lequel on peut se former; il n'y manque que d'être ajusté aux circonstances où l'on se trouve. L'ouvrage entier est un traité de morale, réduit agréablement en exercice.

Un lecteur sévère s'offensera peut-être de me voir reprendre la plume, à mon âge, pour écrire des aventures de fortune et d'amour; mais, si la réflexion que je viens de faire est solide, elle me justifie; si elle est fausse, mon erreur sera mon excuse.

Nota. *C'est pour se rendre aux instances de ceux qui aiment ce petit ouvrage, qu'on s'est déterminé à le purger d'un grand nombre de fautes grossières qui se sont glissées dans la plupart des éditions. On y a fait aussi quelques additions qui ont paru nécessaires pour la plénitude d'un des principaux caractères.*

La vignette et les figures portent en elles-mêmes leur recommandation et leur éloge.

PREMIÈRE PARTIE

Je suis obligé de faire remonter mon lecteur au temps de ma vie où je rencontrai pour la première fois le chevalier des Grieux. Ce fut environ six mois avant mon départ pour l'Espagne. Quoique je sortisse rarement de ma solitude, la complaisance que j'avais pour ma fille m'engageait quelquefois à divers petits voyages, que j'abrégeais autant qu'il m'était possible. Je revenais un jour de Rouen, où elle m'avait prié d'aller solliciter une affaire au Parlement de Normandie pour la succession de quelques terres auxquelles je lui avais laissé des prétentions du côté de mon grand-père maternel. Ayant repris mon chemin par Evreux, où je couchai la première nuit, j'arrivai le lendemain pour dîner à Pacy, qui en est éloigné de cinq ou six lieues. Je fus surpris, en entrant dans ce bourg, d'y voir tous les habitants en alarme. Ils se précipitaient de leurs maisons pour courir en foule à la porte d'une mauvaise hôtellerie, devant laquelle étaient deux chariots couverts. Les chevaux, qui étaient encore attelés et qui paraissaient fumants de fatigue et de chaleur, marquaient que ces deux voitures ne faisaient qu'arriver. Je m'arrêtai un moment pour m'informer d'où venait le tumulte; mais je tirai peu d'éclaircissement d'une populace curieuse, qui ne faisait nulle attention à mes demandes, et qui s'avançait toujours vers l'hôtellerie, en se poussant avec beaucoup de confusion. Enfin, un archer revêtu d'une bandoulière, et le mousquet sur l'épaule, ayant paru à la porte, je lui fis signe de la main de venir à moi. Je le priai de m'apprendre le

sujet de ce désordre. Ce n'est rien, monsieur, me dit-il;
c'est une douzaine de filles de joie que je conduis, avec
mes compagnons, jusqu'au Havre-de-Grâce, où nous
les ferons embarquer pour l'Amérique. Il y en a
quelques-unes de jolies, et c'est apparemment ce qui
excite la curiosité de ces bons paysans. J'aurais
passé après cette explication, si je n'eusse été arrêté
par les exclamations d'une vieille femme qui sortait de
l'hôtellerie en joignant les mains, et criant que c'était
une chose barbare, une chose qui faisait horreur et
compassion. De quoi s'agit-il donc ? lui dis-je. Ah!
monsieur, entrez, répondit-elle, et voyez si ce spectacle n'est pas capable de fendre le cœur! La curiosité
me fit descendre de mon cheval, que je laissai à mon
palefrenier. J'entrai avec peine, en perçant la foule, et
je vis, en effet, quelque chose d'assez touchant. Parmi
les douze filles qui étaient enchaînées six à six par le
milieu du corps, il y en avait une dont l'air et la
figure étaient si peu conformes à sa condition, qu'en
tout autre état je l'eusse prise pour une personne du
premier rang. Sa tristesse et la saleté de son linge et de
ses habits l'enlaidissaient si peu que sa vue m'inspira
du respect et de la pitié. Elle tâchait néanmoins de se
tourner, autant que sa chaîne pouvait le permettre,
pour dérober son visage aux yeux des spectateurs.
L'effort qu'elle faisait pour se cacher était si naturel,
qu'il paraissait venir d'un sentiment de modestie.
Comme les six gardes qui accompagnaient cette malheureuse bande étaient aussi dans la chambre, je pris
le chef en particulier et je lui demandai quelques
lumières sur le sort de cette belle fille. Il ne put m'en
donner que de fort générales. Nous l'avons tirée de
l'Hôpital, me dit-il, par ordre de M. le Lieutenant
général de Police. Il n'y a pas d'apparence qu'elle y
eût été renfermée pour ses bonnes actions. Je l'ai inter-
rogée plusieurs fois sur la route, elle s'obstine à ne me
rien répondre. Mais, quoique je n'aie pas reçu ordre de
la ménager plus que les autres, je ne laisse pas d'avoir
quelques égards pour elle, parce qu'il me semble qu'elle
vaut un peu mieux que ses compagnes. Voilà un jeune
homme, ajouta l'archer, qui pourrait vous instruire

mieux que moi sur la cause de sa disgrâce; il l'a suivie
depuis Paris, sans cesser presque un moment de pleurer.
Il faut que ce soit son frère ou son amant. Je me tournai
vers le coin de la chambre où ce jeune homme était
assis. Il paraissait enseveli dans une rêverie profonde.
Je n'ai jamais vu de plus vive image de la douleur. Il
était mis fort simplement; mais on distingue, au premier coup d'œil, un homme qui a de la naissance et de
l'éducation. Je m'approchai de lui. Il se leva; et je
découvris dans ses yeux, dans sa figure et dans tous ses
mouvements, un air si fin et si noble que je me sentis
porté naturellement à lui vouloir du bien. Que je ne
vous trouble point, lui dis-je, en m'asseyant près de
lui. Voulez-vous bien satisfaire la curiosité que j'ai de
connaître cette belle personne, qui ne me paraît point
faite pour le triste état où je la vois ? Il me répondit
honnêtement qu'il ne pouvait m'apprendre qui elle
était sans se faire connaître lui-même, et qu'il avait
de fortes raisons pour souhaiter de demeurer inconnu.
Je puis vous dire, néanmoins, ce que ces misérables
n'ignorent point, continua-t-il en montrant les archers,
c'est que je l'aime avec une passion si violente qu'elle
me rend le plus infortuné de tous les hommes. J'ai tout
employé, à Paris, pour obtenir sa liberté. Les sollicitations, l'adresse et la force m'ont été inutiles; j'ai
pris le parti de la suivre, dût-elle aller au bout du
monde. Je m'embarquerai avec elle; je passerai en Amérique. Mais ce qui est de la dernière inhumanité, ces
lâches coquins, ajouta-t-il en parlant des archers, ne
veulent pas me permettre d'approcher d'elle. Mon dessein était de les attaquer ouvertement, à quelques lieues
de Paris. Je m'étais associé quatre hommes qui
m'avaient promis leur secours pour une somme considérable. Les traîtres m'ont laissé seul aux mains et sont
partis avec mon argent. L'impossibilité de réussir par
la force m'a fait mettre les armes bas. J'ai proposé aux
archers de me permettre du moins de les suivre, en leur
offrant de les récompenser. Le désir du gain les y a fait
consentir. Ils ont voulu être payés chaque fois qu'ils
m'ont accordé la liberté de parler à ma maîtresse. Ma
bourse s'est épuisée en peu de temps, et maintenant

que je suis sans un sou, ils ont la barbarie de me repous-
ser brutalement lorsque je fais un pas vers elle. Il n'y a
qu'un instant, qu'ayant osé m'en approcher malgré
leurs menaces, ils ont eu l'insolence de lever contre moi
le bout du fusil. Je suis obligé, pour satisfaire leur avarice et pour me mettre en état de continuer la route à
pied, de vendre ici un mauvais cheval qui m'a servi
jusqu'à présent de monture.

Quoiqu'il parût faire assez tranquillement ce récit,
il laissa tomber quelques larmes en le finissant. Cette
aventure me parut des plus extraordinaires et des plus
touchantes. Je ne vous presse pas, lui dis-je, de me
découvrir le secret de vos affaires, mais, si je puis vous
être utile à quelque chose, je m'offre volontiers à vous
rendre service. Hélas! reprit-il, je ne vois pas le moindre
jour à l'espérance. Il faut que je me soumette à toute
la rigueur de mon sort. J'irai en Amérique. J'y serai
du moins libre avec ce que j'aime. J'ai écrit à un de
mes amis qui me fera tenir quelque secours au Havre-
de-Grâce. Je ne suis embarrassé que pour m'y conduire
et pour procurer à cette pauvre créature, ajouta-t-il en
regardant tristement sa maîtresse, quelque soulagement
sur la route. Hé bien, lui dis-je, je vais finir votre
embarras. Voici quelque argent que je vous prie d'accepter. Je suis fâché de ne pouvoir vous servir autrement. Je lui donnai quatre louis d'or, sans que les
gardes s'en aperçussent, car je jugeais bien que, s'ils
lui savaient cette somme, ils lui vendraient plus chè-
rement leurs secours. Il me vint même à l'esprit de
faire marché avec eux pour obtenir au jeune amant
la liberté de parler continuellement à sa maîtresse
jusqu'au Havre. Je fis signe au chef de s'approcher, et
je lui en fis la proposition. Il en parut honteux, malgré
son effronterie. Ce n'est pas, monsieur, répondit-il d'un
air embarrassé, que nous refusions de le laisser parler
à cette fille, mais il voudrait être sans cesse auprès
d'elle; cela nous est incommode; il est bien juste qu'il
paye pour l'incommodité. Voyons donc, lui dis-je, ce
qu'il faudrait pour vous empêcher de la sentir. Il eut
l'audace de me demander deux louis. Je les lui donnai
sur-le-champ : Mais prenez garde, lui-dis-je, qu'il ne

vous échappe quelque friponnerie; car je vais laisser
mon adresse à ce jeune homme, afin qu'il puisse m'en
informer, et comptez que j'aurai le pouvoir de vous
faire punir. Il m'en coûta six louis d'or. La bonne
grâce et la vive reconnaissance avec laquelle ce jeune
inconnu me remercia, achevèrent de me persuader qu'il
était né quelque chose, et qu'il méritait ma libéralité. Je
dis quelques mots à sa maîtresse avant que de sortir.
Elle me répondit avec une modestie si douce et si charmante, que je ne pus m'empêcher de faire, en sortant,
mille réflexions sur le caractère incompréhensible des
femmes.

Etant retourné à ma solitude, je ne fus point informé
de la suite de cette aventure. Il se passa près de deux
ans, qui me la firent oublier tout à fait, jusqu'à ce que
le hasard me fît renaître l'occasion d'en apprendre à
fond toutes les circonstances. J'arrivais de Londres à
Calais, avec le marquis de..., mon élève. Nous logeâmes,
si je m'en souviens bien, au *Lion d'Or*, où quelques
raisons nous obligèrent de passer le jour entier et la
nuit suivante. En marchant l'après-midi dans les rues,
je crus apercevoir ce même jeune homme dont j'avais
fait la rencontre à Pacy. Il était en fort mauvais équipage, et beaucoup plus pâle que je ne l'avais vu la première fois. Il portait sur le bras un vieux porteman-
teau, ne faisant qu'arriver dans la ville. Cependant,
comme il avait la physionomie trop belle pour n'être
pas reconnu facilement, je le remis aussitôt. Il faut,
dis-je au marquis, que nous abordions ce jeune homme.
Sa joie fut plus vive que toute expression, lorsqu'il
m'eut remis à son tour. Ah! monsieur, s'écria-t-il
en me baisant la main, je puis donc encore une fois
vous marquer mon immortelle reconnaissance! Je
lui demandai d'où il venait. Il me répondit qu'il arrivait, par mer, du Havre-de-Grâce, où il était revenu
de l'Amérique peu auparavant. Vous ne me paraissez
pas fort bien en argent, lui dis-je. Allez-vous-en au
Lion d'Or, où je suis logé. Je vous rejoindrai dans un
moment. J'y retournai en effet, plein d'impatience
d'apprendre le détail de son infortune et les circonstances de son voyage d'Amérique. Je lui fis mille

caresses, et j'ordonnai qu'on ne le laissât manquer de
rien. Il n'attendit point que je le pressasse de me raconter l'histoire de sa vie. Monsieur, me dit-il, vous en
usez si noblement avec moi, que je me reprocherais,
comme une basse ingratitude, d'avoir quelque chose
de réservé pour vous. Je veux vous apprendre, non
seulement mes malheurs et mes peines, mais encore
mes désordres et mes plus honteuses faiblesses. Je
suis sûr qu'en me condamnant, vous ne pourrez pas
vous empêcher de me plaindre.

Je dois avertir ici le lecteur que j'écrivis son histoire
presque aussitôt après l'avoir entendue, et qu'on peut
s'assurer, par conséquent, que rien n'est plus exact et
plus fidèle que cette narration. Je dis fidèle jusque dans
la relation des réflexions et des sentiments que le jeune
aventurier exprimait de la meilleure grâce du monde.
Voici donc son récit, auquel je ne mêlerai, jusqu'à la
fin, rien qui ne soit de lui.

J'avais dix-sept ans, et j'achevais mes études de phi-
losophie à Amiens, où mes parents, qui sont d'une
des meilleures maisons de P., m'avaient envoyé. Je
menais une vie si sage et si réglée, que mes maîtres me
proposaient pour l'exemple du collège. Non que je
fisse des efforts extraordinaires pour mériter cet
éloge, mais j'ai l'humeur naturellement douce et tranquille : je m'appliquais à l'étude par inclination, et l'on
me comptait pour des vertus quelques marques
d'aversion naturelle pour le vice. Ma naissance, le succès de mes études et quelques agréments extérieurs
m'avaient fait connaître et estimer de tous les honnêtes
gens de la ville. J'achevai mes exercices publics avec
une approbation si générale, que Monsieur l'Evêque,
qui y assistait, me proposa d'entrer dans l'état ecclésiastique, où je ne manquerais pas, disait-il, de m'attirer plus de distinction que dans l'ordre de Malte,
auquel mes parents me destinaient. Ils me faisaient déjà
porter la croix, avec le nom de chevalier des Grieux.
Les vacances arrivant, je me préparais à retourner chez
mon père, qui m'avait promis de m'envoyer bientôt à
l'Académie. Mon seul regret, en quittant Amiens, était

d'y laisser un ami avec lequel j'avais toujours été ten- *Tiberge*
drement uni. Il était de quelques années plus âgé que
moi. Nous avions été élevés ensemble, mais le bien de
sa maison étant des plus médiocres, il était obligé de
prendre l'état ecclésiastique, et de demeurer à Amiens
après moi, pour y faire les études qui conviennent
à cette profession. Il avait mille bonnes qualités. Vous
le connaîtrez par les meilleures dans la suite de mon
histoire, et surtout, par un zèle et une générosité en
amitié qui surpassent les plus célèbres exemples de
l'antiquité. Si j'eusse alors suivi ses conseils, j'aurais
toujours été sage et heureux. Si j'avais, du moins, pro-
fité de ses reproches dans le précipice où mes passions
m'ont entraîné, j'aurais sauvé quelque chose du naufrage de ma fortune et de ma réputation. Mais il n'a
point recueilli d'autre fruit de ses soins que le chagrin
de les voir inutiles et, quelquefois, durement récom-
pensés par un ingrat qui s'en offensait, et qui les trai-
tait d'importunités.

J'avais marqué le temps de mon départ d'Amiens.
Hélas! que ne le marquais-je un jour plus tôt! j'aurais
porté chez mon père toute mon innocence. La veille
même de celui que je devais quitter cette ville, étant
à me promener avec mon ami, qui s'appelait Tiberge,
nous vîmes arriver le coche d'Arras, et nous le sui-
vîmes jusqu'à l'hôtellerie où ces voitures descendent.
Nous n'avions pas d'autre motif que la curiosité. Il en
sortit quelques femmes, qui se retirèrent aussitôt. Mais
il en resta une, fort jeune, qui s'arrêta seule dans la *Manon*
cour, pendant qu'un homme d'un âge avancé, qui
paraissait lui servir de conducteur, s'empressait pour
faire tirer son équipage des paniers. Elle me parut si
charmante que moi, qui n'avais jamais pensé à la différence des sexes, ni regardé une fille avec un peu
d'attention, moi, dis-je, dont tout le monde admirait
la sagesse et la retenue, je me trouvai enflammé tout
d'un coup jusqu'au transport. J'avais le défaut d'être
excessivement timide et facile à déconcerter; mais loin
d'être arrêté alors par cette faiblesse, je m'avançai
vers la maîtresse de mon cœur. Quoiqu'elle fût encore
moins âgée que moi, elle reçut mes politesses sans

paraître embarrassée. Je lui demandai ce qui l'amenait
à Amiens et si elle y avait quelques personnes de
connaissance. Elle me répondit ingénument qu'elle y
était envoyée par ses parents pour être religieuse.
L'amour me rendait déjà si éclairé, depuis un moment
qu'il était dans mon cœur, que je regardai ce dessein
comme un coup mortel pour mes désirs. Je lui parlai
d'une manière qui lui fit comprendre mes sentiments,
car elle était bien plus expérimentée que moi. C'était
malgré elle qu'on l'envoyait au couvent, pour arrêter
sans doute son penchant au plaisir, qui s'était déjà
déclaré et qui a causé, dans la suite, tous ses malheurs
et les miens. Je combattis la cruelle intention de ses
parents par toutes les raisons que mon amour naissant
et mon éloquence scolastique purent me suggérer. Elle
n'affecta ni rigueur ni dédain. Elle me dit, après un
moment de silence, qu'elle ne prévoyait que trop
qu'elle allait être malheureuse, mais que c'était apparemment la volonté du Ciel, puisqu'il ne lui laissait
nul moyen de l'éviter. La douceur de ses regards, un
air charmant de tristesse en prononçant ces paroles,
ou plutôt, l'ascendant de ma destinée qui m'entraînait
à ma perte, ne me permirent pas de balancer un
moment sur ma réponse. Je l'assurai que, si elle voulait faire quelque fond sur mon honneur et sur la tendresse infinie qu'elle m'inspirait déjà, j'emploierais ma
vie pour la délivrer de la tyrannie de ses parents, et
pour la rendre heureuse. Je me suis étonné mille fois, en
y réfléchissant, d'où me venait alors tant de hardiesse
et de facilité à m'exprimer; mais on ne ferait pas une
divinité de l'amour, s'il n'opérait souvent des pro-
diges. J'ajoutai mille choses pressantes. Ma belle
inconnue savait bien qu'on n'est point trompeur à
mon âge; elle me confessa que, si je voyais quelque
jour à la pouvoir mettre en liberté, elle croirait m'être
redevable de quelque chose de plus cher que la vie. Je
lui répétai que j'étais prêt à tout entreprendre, mais,
n'ayant point assez d'expérience pour imaginer tout
d'un coup les moyens de la servir, je m'en tenais à
cette assurance générale, qui ne pouvait être d'un
grand secours pour elle et pour moi. Son vieil Argus

étant venu nous rejoindre, mes espérances allaient
échouer si elle n'eût eu assez d'esprit pour suppléer
à la stérilité du mien. Je fus surpris, à l'arrivée de son
conducteur, qu'elle m'appelât son cousin et que, sans
paraître déconcertée le moins du monde, elle me dît
que, puisqu'elle était assez heureuse pour me rencontrer à Amiens, elle remettait au lendemain son entrée
dans le couvent, afin de se procurer le plaisir de souper
avec moi. J'entrai fort bien dans le sens de cette ruse.
Je lui proposai de se loger dans une hôtellerie, dont le
maître, qui s'était établi à Amiens, après avoir été
longtemps cocher de mon père, était dévoué entièrement à mes ordres. Je l'y conduisis moi-même, tandis
que le vieux conducteur paraissait un peu murmurer,
et que mon ami Tiberge, qui ne comprenait rien à cette
scène, me suivait sans prononcer une parole. Il
n'avait point entendu notre entretien. Il était demeuré
à se promener dans la cour pendant que je parlais
d'amour à ma belle maîtresse. Comme je redoutais
sa sagesse, je me défis de lui par une commission dont
je le priai de se charger. Ainsi j'eus le plaisir, en arrivant à l'auberge, d'entretenir seul la souveraine de
mon cœur. Je reconnus bientôt que j'étais moins
enfant que je ne le croyais. Mon cœur s'ouvrit à
mille sentiments de plaisir dont je n'avais jamais eu
l'idée. Une douce chaleur se répandit dans toutes mes
veines. J'étais dans une espèce de transport, qui m'ôta
pour quelque temps la liberté de la voix et qui ne
s'exprimait que par mes yeux. Mademoiselle Manon
Lescaut, c'est ainsi qu'elle me dit qu'on la nommait,
parut fort satisfaite de cet effet de ses charmes. Je crus
apercevoir qu'elle n'était pas moins émue que moi. Elle
me confessa qu'elle me trouvait aimable et qu'elle
serait ravie de m'avoir obligation de sa liberté. Elle
voulut savoir qui j'étais, et cette connaissance augmenta son affection, parce qu'étant d'une naissance
commune, elle se trouva flattée d'avoir fait la conquête
d'un amant tel que moi. Nous nous entretînmes des
moyens d'être l'un à l'autre. Après quantité de
réflexions, nous ne trouvâmes point d'autre voie que
celle de la fuite. Il fallait tromper la vigilance du

conducteur, qui était un homme à ménager, quoiqu'il
ne fût qu'un domestique. Nous réglâmes que je ferais
préparer pendant la nuit une chaise de poste, et que
je reviendrais de grand matin à l'auberge avant qu'il
fût éveillé; que nous nous déroberions secrètement, et
que nous irions droit à Paris, où nous nous ferions
marier en arrivant. J'avais environ cinquante écus, qui
étaient le fruit de mes petites épargnes; elle en avait à
peu près le double. Nous nous imaginâmes, comme des
enfants sans expérience, que cette somme ne finirait
jamais, et nous ne comptâmes pas moins sur le succès
de nos autres mesures.

Après avoir soupé avec plus de satisfaction que je
n'en avais jamais ressenti, je me retirai pour exécuter
notre projet. Mes arrangements furent d'autant plus
faciles, qu'ayant eu dessein de retourner le lendemain
chez mon père, mon petit équipage était déjà préparé.
Je n'eus donc nulle peine à faire transporter ma malle,
et à faire tenir une chaise prête pour cinq heures du
matin, qui étaient le temps où les portes de la ville
devaient être ouvertes; mais je trouvai un obstacle
dont je ne me défiais point, et qui faillit de rompre
entièrement mon dessein.

Tiberge, quoique âgé seulement de trois ans plus que
moi, était un garçon d'un sens mûr et d'une conduite
fort réglée. Il m'aimait avec une tendresse extraordinaire. La vue d'une aussi jolie fille que Mademoiselle Manon, mon empressement à la conduire, et le
soin que j'avais eu de me défaire de lui en l'éloignant,
lui firent naître quelques soupçons de mon amour.
Il n'avait osé revenir à l'auberge, où il m'avait laissé,
de peur de m'offenser par son retour; mais il était allé
m'attendre à mon logis, où je le trouvai en arrivant,
quoiqu'il fût dix heures du soir. Sa présence me cha-
grina. Il s'aperçut facilement de la contrainte qu'elle
me causait. Je suis sûr, me dit-il sans déguisement, que
vous méditez quelque dessein que vous me voulez
cacher; je le vois à votre air. Je lui répondis assez
brusquement que je n'étais pas obligé de lui rendre
compte de tous mes desseins. Non, reprit-il, mais vous
m'avez toujours traité en ami, et cette qualité suppose

un peu de confiance et d'ouverture. Il me pressa si
fort et si longtemps de lui découvrir mon secret, que,
n'ayant jamais eu de réserve avec lui, je lui fis l'entière confidence de ma passion. Il la reçut avec une
apparence de mécontentement qui me fit frémir. Je
me repentis surtout de l'indiscrétion avec laquelle
je lui avais découvert le dessein de ma fuite. Il me dit
qu'il était trop parfaitement mon ami pour ne pas s'y
opposer de tout son pouvoir; qu'il voulait me représenter d'abord tout ce qu'il croyait capable de m'en
détourner, mais que, si je ne renonçais pas ensuite à
cette misérable résolution, il avertirait des personnes
qui pourraient l'arrêter à coup sûr. Il me tint là-dessus
un discours sérieux qui dura plus d'un quart d'heure,
et qui finit encore par la menace de me dénoncer, si je
ne lui donnais ma parole de me conduire avec plus de
sagesse et de raison. J'étais au désespoir de m'être
trahi si mal à propos. Cependant, l'amour m'ayant
ouvert extrêmement l'esprit depuis deux ou trois heures,
je fis attention que je ne lui avais pas découvert que
mon dessein devait s'exécuter le lendemain, et je
résolus de le tromper à la faveur d'une équivoque :
Tiberge, lui dis-je, j'ai cru jusqu'à présent que vous
étiez mon ami, et j'ai voulu vous éprouver par cette
confidence. Il est vrai que j'aime, je ne vous ai pas
trompé, mais, pour ce qui regarde ma fuite, ce n'est
point une entreprise à former au hasard. Venez me
prendre demain à neuf heures; je vous ferai voir, s'il
se peut, ma maîtresse, et vous jugerez si elle mérite que
je fasse cette démarche pour elle. Il me laissa seul,
après mille protestations d'amitié. J'employai la nuit
à mettre ordre à mes affaires, et m'étant rendu à
l'hôtellerie de Mademoiselle Manon vers la pointe du
jour, je la trouvai qui m'attendait. Elle était à sa
fenêtre, qui donnait sur la rue, de sorte que, m'ayant
aperçu, elle vint m'ouvrir elle-même. Nous sortîmes
sans bruit. Elle n'avait point d'autre équipage que
son linge, dont je me chargeai moi-même. La chaise
était en état de partir; nous nous éloignâmes aussitôt
de la ville. Je rapporterai, dans la suite, quelle fut la
conduite de Tiberge, lorsqu'il s'aperçut que je l'avais

trompé. Son zèle n'en devint pas moins ardent. Vous
verrez à quel excès il le porta, et combien je devrais
verser de larmes en songeant quelle en a toujours été
la récompense.

Nous nous hâtâmes tellement d'avancer que nous
arrivâmes à Saint-Denis avant la nuit. J'avais couru
à cheval à côté de la chaise, ce qui ne nous avait guère
permis de nous entretenir qu'en changeant de chevaux ; mais lorsque nous nous vîmes si proche de Paris,
c'est-à-dire presque en sûreté, nous prîmes le temps de
nous rafraîchir, n'ayant rien mangé depuis notre
départ d'Amiens. Quelque passionné que je fusse pour
Manon, elle sut me persuader qu'elle ne l'était pas
moins pour moi. Nous étions si peu réservés dans nos
caresses, que nous n'avions pas la patience d'attendre
que nous fussions seuls. Nos postillons et nos hôtes
nous regardaient avec admiration, et je remarquais
qu'ils étaient surpris de voir deux enfants de notre
âge, qui paraissaient s'aimer jusqu'à la fureur. Nos
projets de mariage furent oubliés à Saint-Denis ;
nous fraudâmes les droits de l'Eglise, et nous nous
trouvâmes époux sans y avoir fait réflexion. Il est sûr
que, du naturel tendre et constant dont je suis, j'étais
heureux pour toute ma vie, si Manon m'eût été fidèle.
Plus je la connaissais, plus je découvrais en elle de nouvelles qualités aimables. Son esprit, son cœur, sa douceur et sa beauté formaient une chaîne si forte et si
charmante, que j'aurais mis tout mon bonheur à n'en

sortir jamais. Terrible changement! Ce qui fait mon
désespoir a pu faire ma félicité. Je me trouve le plus
malheureux de tous les hommes, par cette même constance dont je devais attendre le plus doux de tous les
sorts, et les plus parfaites récompenses de l'amour.

Nous prîmes un appartement meublé à Paris. Ce fut
dans la rue V... et, pour mon malheur, auprès de la
maison de M. de B..., célèbre fermier général. Trois
semaines se passèrent, pendant lesquelles j'avais été si
rempli de ma passion que j'avais peu songé à ma famille
et au chagrin que mon père avait dû ressentir de mon
absence. Cependant, comme la débauche n'avait nulle
part à ma conduite, et que Manon se comportait aussi

avec beaucoup de retenue, la tranquillité où nous vivions servit à me faire rappeler peu à peu l'idée de mon devoir. Je résolus de me réconcilier, s'il était possible, avec mon père. Ma maîtresse était si aimable que je ne doutai point qu'elle ne pût lui plaire, si je trouvais moyen de lui faire connaître sa sagesse et son mérite : en un mot, je me flattai d'obtenir de lui la liberté de l'épouser, ayant été désabusé de l'espérance de le pouvoir sans son consentement. Je communiquai ce projet à Manon, et je lui fis entendre qu'outre les motifs de l'amour et du devoir, celui de la nécessité pouvait y entrer aussi pour quelque chose, car nos fonds étaient extrêmement altérés, et je commençais à revenir de l'opinion qu'ils étaient inépuisables. Manon reçut froidement cette proposition. Cependant, les difficultés qu'elle y opposa n'étant prises que de sa tendresse même et de la crainte de me perdre, si mon père n'entrait point dans notre dessein après avoir connu le lieu de notre retraite, je n'eus pas le moindre soupçon du coup cruel qu'on se préparait à me porter. A l'objection de la nécessité, elle répondit qu'il nous restait encore de quoi vivre quelques semaines, et qu'elle trouverait, après cela, des ressources dans l'affection de quelques parents à qui elle écrirait en province. Elle adoucit son refus par des caresses si tendres et si passionnées, que moi, qui ne vivais que dans elle, et qui n'avais pas la moindre défiance de son cœur, j'applaudis à toutes ses réponses et à toutes ses résolutions. Je lui avais laissé la disposition de notre bourse, et le soin de payer notre dépense ordinaire. Je m'aperçus, peu après, que notre table était mieux servie, et qu'elle s'était donné quelques ajustements d'un prix considérable. Comme je n'ignorais pas qu'il devait nous rester à peine douze ou quinze pistoles, je lui marquai mon étonnement de cette augmentation apparente de notre opulence. Elle me pria, en riant, d'être sans embarras. Ne vous ai-je pas promis, me dit-elle, que je trouverais des ressources ? Je l'aimais avec trop de simplicité pour m'alarmer facilement.

Un jour que j'étais sorti l'après-midi, et que je l'avais avertie que je serais dehors plus longtemps qu'à l'ordi-

naire, je fus étonné qu'à mon retour on me fît attendre
deux ou trois minutes à la porte. Nous n'étions servis
que par une petite fille qui était à peu près de notre
âge. Etant venue m'ouvrir, je lui demandai pourquoi
elle avait tardé si longtemps. Elle me répondit, d'un
air embarrassé, qu'elle ne m'avait point entendu frapper. Je n'avais frappé qu'une fois ; je lui dis : Mais,
si vous ne m'avez pas entendu, pourquoi êtes-vous donc
venue m'ouvrir ? Cette question la déconcerta si fort,
que, n'ayant point assez de présence d'esprit pour y
répondre, elle se mit à pleurer, en m'assurant que ce
n'était point sa faute, et que madame lui avait défendu
d'ouvrir la porte jusqu'à ce que M. de B... fût sorti
par l'autre escalier, qui répondait au cabinet. Je
demeurai si confus, que je n'eus point la force d'entrer
dans l'appartement. Je pris le parti de descendre sous
prétexte d'une affaire, et j'ordonnai à cet enfant de dire
à sa maîtresse que je retournerais dans le moment,
mais de ne pas faire connaître qu'elle m'eût parlé de
M. de B...

Ma consternation fut si grande, que je versais des
larmes en descendant l'escalier, sans savoir encore de
quel sentiment elles partaient. J'entrai dans le premier
café et m'y étant assis près d'une table, j'appuyai la
tête sur mes deux mains pour y développer ce qui se
passait dans mon cœur. Je n'osais rappeler ce que je
venais d'entendre. Je voulais le considérer comme une
illusion, et je fus prêt deux ou trois fois de retourner au
logis, sans marquer que j'y eusse fait attention. Il me
paraissait si impossible que Manon m'eût trahi, que
je craignais de lui faire injure en la soupçonnant. Je
l'adorais, cela était sûr ; je ne lui avais pas donné plus
de preuves d'amour que je n'en avais reçu d'elle ;
pourquoi l'aurais-je accusée d'être moins sincère et
moins constante que moi ? Quelle raison aurait-elle
eue de me tromper ? Il n'y avait que trois heures qu'elle
m'avait accablé de ses plus tendres caresses et qu'elle
avait reçu les miennes avec transport ; je ne connaissais
pas mieux mon cœur que le sien. Non, non, repris-je,
il n'est pas possible que Manon me trahisse. Elle
n'ignore pas que je ne vis que pour elle. Elle sait trop

bien que je l'adore. Ce n'est pas là un sujet de me haïr.

Cependant la visite et la sortie furtive de M. de B... me causaient de l'embarras. Je rappelais aussi les petites acquisitions de Manon, qui me semblaient surpasser nos richesses présentes. Cela paraissait sentir les libéralités d'un nouvel amant. Et cette confiance qu'elle m'avait marquée pour des ressources qui m'étaient inconnues! J'avais peine à donner à tant d'énigmes un sens aussi favorable que mon cœur le souhaitait. D'un autre côté, je ne l'avais presque pas perdue de vue depuis que nous étions à Paris. Occupations, promenades, divertissements, nous avions toujours été l'un à côté de l'autre; mon Dieu! un instant de séparation nous aurait trop affligés. Il fallait nous dire sans cesse que nous nous aimions; nous serions morts d'inquiétude sans cela. Je ne pouvais donc m'imaginer presque un seul moment où Manon pût s'être occupée d'un autre que moi. A la fin, je crus avoir trouvé le dénouement de ce mystère. M. de B..., dis-je en moi-même, est un homme qui fait de grosses affaires, et qui a de grandes relations; les parents de Manon se seront servis de cet homme pour lui faire tenir quelque argent. Elle en a peut-être déjà reçu de lui; il est venu aujourd'hui lui en apporter encore. Elle s'est fait sans doute un jeu de me le cacher, pour me surprendre agréablement. Peut-être m'en aurait-elle parlé si j'étais rentré à l'ordinaire, au lieu de venir ici m'affliger; elle ne me le cachera pas, du moins, lorsque je lui en parlerai moi-même.

Je me remplis si fortement de cette opinion, qu'elle eut la force de diminuer beaucoup ma tristesse. Je retournai sur-le-champ au logis. J'embrassai Manon avec ma tendresse ordinaire. Elle me reçut fort bien. J'étais tenté d'abord de lui découvrir mes conjectures, que je regardais plus que jamais comme certaines; je me retins, dans l'espérance qu'il lui arriverait peut-être de me prévenir, en m'apprenant tout ce qui s'était passé. On nous servit à souper. Je me mis à table d'un air fort gai; mais à la lumière de la chandelle qui était entre elle et moi, je crus apercevoir de la tristesse sur le visage et dans les yeux de ma chère maîtresse. Cette

pensée m'en inspira aussi. Je remarquai que ses regards
s'attachaient sur moi d'une autre façon qu'ils n'avaient
accoutumé. Je ne pouvais démêler si c'était de l'amour
ou de la compassion, quoiqu'il me parût que c'était
un sentiment doux et languissant. Je la regardai avec la
même attention ; et peut-être n'avait-elle pas moins de
peine à juger de la situation de mon cœur par mes
regards. Nous ne pensions ni à parler, ni à manger.
Enfin, je vis tomber des larmes de ses beaux yeux :
perfides larmes ! Ah Dieux ! m'écriai-je, vous pleurez,
ma chère Manon ; vous êtes affligée jusqu'à pleurer, et
vous ne me dites pas un seul mot de vos peines. Elle
ne me répondit que par quelques soupirs qui augmentèrent mon inquiétude. Je me levai en tremblant. Je la
conjurai, avec tous les empressements de l'amour, de me
découvrir le sujet de ses pleurs ; j'en versai moi-même
en essuyant les siens ; j'étais plus mort que vif. Un
barbare aurait été attendri des témoignages de ma douleur et de ma crainte. Dans le temps que j'étais ainsi
tout occupé d'elle, j'entendis le bruit de plusieurs personnes qui montaient l'escalier. On frappa doucement
à la porte. Manon me donna un baiser, et s'échappant
de mes bras, elle entra rapidement dans le cabinet,
qu'elle ferma aussitôt sur elle. Je me figurai qu'étant
un peu en désordre, elle voulait se cacher aux yeux des
étrangers qui avaient frappé. J'allai leur ouvrir moi-
même. A peine avais-je ouvert, que je me vis saisir par
trois hommes, que je reconnus pour les laquais de mon
père. Ils ne me firent point de violence ; mais deux
d'entre eux m'ayant pris par les bras, le troisième visita
mes poches, dont il tira un petit couteau qui était le
seul fer que j'eusse sur moi. Ils me demandèrent pardon
de la nécessité où ils étaient de me manquer de respect ;
ils me dirent naturellement qu'ils agissaient par l'ordre
de mon père, et que mon frère aîné m'attendait en bas
dans un carrosse. J'étais si troublé, que je me laissai
conduire sans résister et sans répondre. Mon frère était
effectivement à m'attendre. On me mit dans le carrosse,
auprès de lui, et le cocher, qui avait ses ordres, nous
conduisit à grand train jusqu'à Saint-Denis. Mon frère
m'embrassa tendrement, mais il ne me parla point,

de sorte que j'eus tout le loisir dont j'avais besoin, pour rêver à mon infortune.

J'y trouvai d'abord tant d'obscurité que je ne voyais pas de jour à la moindre conjecture. J'étais trahi cruellement. Mais par qui? Tiberge fut le premier qui me vint à l'esprit. Traître! disais-je, c'est fait de ta vie si mes soupçons se trouvent justes. Cependant je fis réflexion qu'il ignorait le lieu de ma demeure, et qu'on ne pouvait, par conséquent, l'avoir appris de lui. Accuser Manon, c'est de quoi mon cœur n'osait se rendre coupable. Cette tristesse extraordinaire dont je l'avais vue comme accablée, ses larmes, le tendre baiser qu'elle m'avait donné en se retirant, me paraissaient bien une énigme; mais je me sentais porté à l'expliquer comme un pressentiment de notre malheur commun, et dans le temps que je me désespérais de l'accident qui m'arrachait à elle, j'avais la crédulité de m'imaginer qu'elle était encore plus à plaindre que moi. Le résultat de ma méditation fut de me persuader que j'avais été aperçu dans les rues de Paris par quelques personnes de connaissance, qui en avaient donné avis à mon père. Cette pensée me consola. Je comptais d'en être quitte pour des reproches ou pour quelques mauvais traitements, qu'il me faudrait essuyer de l'autorité paternelle. Je résolus de les souffrir avec patience, et de promettre tout ce qu'on exigerait de moi, pour me faciliter l'occasion de retourner plus promptement à Paris, et d'aller rendre la vie et la joie à ma chère Manon.

Nous arrivâmes, en peu de temps, à Saint-Denis. Mon frère, surpris de mon silence, s'imagina que c'était un effet de ma crainte. Il entreprit de me consoler, en m'assurant que je n'avais rien à redouter de la sévérité de mon père, pourvu que je fusse disposé à rentrer doucement dans le devoir, et à mériter l'affection qu'il avait pour moi. Il me fit passer la nuit à Saint-Denis, avec la précaution de faire coucher les trois laquais dans ma chambre. Ce qui me causa une peine sensible, fut de me voir dans la même hôtellerie où je m'étais arrêté avec Manon, en venant d'Amiens à Paris. L'hôte et les domestiques me reconnurent, et devinèrent en même temps la vérité de mon histoire. J'entendis

dire à l'hôte : Ah! c'est ce joli monsieur qui passait,
il y a six semaines, avec une petite demoiselle qu'il
aimait si fort. Qu'elle était charmante! Les pauvres
enfants, comme ils se caressaient! Pardi, c'est dommage qu'on les ait séparés. Je feignais de ne rien
entendre, et je me laissais voir le moins qu'il m'était
possible. Mon frère avait, à Saint-Denis, une chaise à
deux, dans laquelle nous partîmes de grand matin, et
nous arrivâmes chez nous le lendemain au soir. Il vit
mon père avant moi, pour le prévenir en ma faveur
en lui apprenant avec quelle douceur je m'étais laissé
conduire, de sorte que j'en fus reçu moins durement
que je ne m'y étais attendu. Il se contenta de me faire
quelques reproches généraux sur la faute que j'avais
commise en m'absentant sans sa permission. Pour ce
qui regardait ma maîtresse, il me dit que j'avais bien
mérité ce qui venait de m'arriver, en me livrant à une
inconnue; qu'il avait eu meilleure opinion de ma prudence, mais qu'il espérait que cette petite aventure me
rendrait plus sage. Je ne pris ce discours que dans le
sens qui s'accordait avec mes idées. Je remerciai mon
père de la bonté qu'il avait de me pardonner, et je lui
promis de prendre une conduite plus soumise et plus
réglée. Je triomphais au fond du cœur, car de la manière
dont les choses s'arrangeaient, je ne doutais point
que je n'eusse la liberté de me dérober de la maison,
même avant la fin de la nuit.

On se mit à table pour souper; on me railla sur ma
conquête d'Amiens, et sur ma fuite avec cette fidèle maîtresse. Je reçus les coups de bonne grâce. J'étais même
charmé qu'il me fût permis de m'entretenir de ce qui
m'occupait continuellement l'esprit. Mais quelques
mots lâchés par mon père me firent prêter l'oreille avec la
dernière attention : il parla de perfidie et de service
intéressé, rendu par Monsieur B... Je demeurai interdit en lui entendant prononcer ce nom, et je le priai
humblement de s'expliquer davantage. Il se tourna
vers mon frère, pour lui demander s'il ne m'avait pas
raconté toute l'histoire. Mon frère lui répondit que je lui
avais paru si tranquille sur la route, qu'il n'avait pas
cru que j'eusse besoin de ce remède pour me guérir

de ma folie. Je remarquai que mon père balançait s'il achèverait de s'expliquer. Je l'en suppliai si instamment, qu'il me satisfit, ou plutôt, qu'il m'assassina cruellement par le plus horrible de tous les récits.

Il me demanda d'abord si j'avais toujours eu la simplicité de croire que je fusse aimé de ma maîtresse. Je lui dis hardiment que j'en étais si sûr que rien ne pouvait m'en donner la moindre défiance. Ha! ha! ha! s'écriat-il en riant de toute sa force, cela est excellent! Tu es une jolie dupe, et j'aime à te voir dans ces sentiments-là. C'est grand dommage, mon pauvre Chevalier, de te faire entrer dans l'ordre de Malte, puisque tu as tant de disposition à faire un mari patient et commode. Il ajouta mille railleries de cette force, sur ce qu'il appelait ma sottise et ma crédulité. Enfin, comme je demeurais dans le silence, il continua de me dire que, suivant le calcul qu'il pouvait faire du temps depuis mon départ d'Amiens, Manon m'avait aimé environ douze jours : car, ajouta-t-il, je sais que tu partis d'Amiens le 28 de l'autre mois; nous sommes au 29 du présent; il y en a onze que Monsieur B... m'a écrit; je suppose qu'il lui en ait fallu huit pour lier une parfaite connaissance avec ta maîtresse; ainsi, qui ôte onze et huit de trente-un jours qu'il y a depuis le 28 d'un mois jusqu'au 29 de l'autre, reste douze, un peu plus ou moins. Là-dessus, les éclats de rire recommencèrent. J'écoutais tout avec un saisissement de cœur auquel j'appréhendais de ne pouvoir résister jusqu'à la fin de cette triste comédie. Tu sauras donc, reprit mon père, puisque tu l'ignores, que Monsieur B... a gagné le cœur de ta princesse, car il se moque de moi, de prétendre me persuader que c'est par un zèle désintéressé pour mon service qu'il a voulu te l'enlever. C'est bien d'un homme tel que lui, de qui, d'ailleurs, je ne suis pas connu, qu'il faut attendre des sentiments si nobles! Il a su d'elle que tu es mon fils, et pour se délivrer de tes importunités, il m'a écrit le lieu de ta demeure et le désordre où tu vivais, en me faisant entendre qu'il fallait main-forte pour s'assurer de toi. Il s'est offert de me faciliter les moyens de te saisir au collet, et c'est par sa direction et celle de ta maîtresse

même que ton frère a trouvé le moment de te prendre
sans vert. Félicite-toi maintenant de la durée de ton
triomphe. Tu sais vaincre assez rapidement, Chevalier ;
mais tu ne sais pas conserver tes conquêtes.

Je n'eus pas la force de soutenir plus longtemps un
discours dont chaque mot m'avait percé le cœur. Je me
levai de table, et je n'avais pas fait quatre pas pour
sortir de la salle, que je tombai sur le plancher, sans
sentiment et sans connaissance. On me les rappela par
de prompts secours. J'ouvris les yeux pour verser un
torrent de pleurs, et la bouche pour proférer les plaintes
les plus tristes et les plus touchantes. Mon père, qui m'a
toujours aimé tendrement, s'employa avec toute son
affection pour me consoler. Je l'écoutais, mais sans
l'entendre. Je me jetai à ses genoux, je le conjurai, en
joignant les mains, de me laisser retourner à Paris
pour aller poignarder B... Non, disais-je, il n'a pas
gagné le cœur de Manon, il lui a fait violence ; il
l'a séduite par un charme ou par un poison ; il l'a peut-
être forcée brutalement. Manon m'aime. Ne le sais-je
pas bien ? Il l'aura menacée, le poignard à la main, pour
la contraindre de m'abandonner. Que n'aura-t-il pas
fait pour me ravir une si charmante maîtresse ! O
dieux ! dieux ! serait-il possible que Manon m'eût trahi,
et qu'elle eût cessé de m'aimer !

Comme je parlais toujours de retourner promptement à Paris, et que je me levais même à tous moments
pour cela, mon père vit bien que, dans le transport où
j'étais, rien ne serait capable de m'arrêter. Il me conduisit dans une chambre haute, où il laissa deux domestiques avec moi pour me garder à vue. Je ne me possédais point. J'aurais donné mille vies pour être seulement un quart d'heure à Paris. Je compris que, m'étant
déclaré si ouvertement, on ne me permettrait pas aisément de sortir de ma chambre. Je mesurai des yeux la
hauteur des fenêtres ; ne voyant nulle possibilité de
m'échapper par cette voie, je m'adressai doucement à
mes deux domestiques. Je m'engageai, par mille serments, à faire un jour leur fortune, s'ils voulaient
consentir à mon évasion. Je les pressai, je les caressai,
je les menaçai ; mais cette tentative fut encore inutile.

Je perdis alors toute espérance. Je résolus de mourir, et
je me jetai sur un lit, avec le dessein de ne le quitter
qu'avec la vie. Je passai la nuit et le jour suivant dans
cette situation. Je refusai la nourriture qu'on m'apporta
le lendemain. Mon père vint me voir l'après-midi.
Il eut la bonté de flatter mes peines par les plus douces
consolations. Il m'ordonna si absolument de manger
quelque chose, que je le fis par respect pour ses ordres.
Quelques jours se passèrent, pendant lesquels je ne pris
rien qu'en sa présence et pour lui obéir. Il continuait
toujours de m'apporter les raisons qui pouvaient me
ramener au bon sens et m'inspirer du mépris pour l'infidèle Manon. Il est certain que je ne l'estimais plus;
comment aurais-je estimé la plus volage et la plus
perfide de toutes les créatures ? Mais son image, ses
traits charmants que je portais au fond du cœur, y
subsistaient toujours. Je le sentais bien. Je puis mourir,
disais-je; je le devrais même, après tant de honte et de
douleur; mais je souffrirais mille morts sans pouvoir
oublier l'ingrate Manon.

Mon père était surpris de me voir toujours si fortement touché. Il me connaissait des principes d'honneur, et ne pouvant douter que sa trahison ne me la fît
mépriser, il s'imagina que ma constance venait moins
de cette passion en particulier que d'un penchant général pour les femmes. Il s'attacha tellement à cette
pensée que, ne consultant que sa tendre affection, il
vint un jour m'en faire l'ouverture. Chevalier, me
dit-il, j'ai eu dessein, jusqu'à présent, de te faire porter
la croix de Malte; mais je vois que tes inclinations ne
sont point tournées de ce côté-là. Tu aimes les jolies
femmes. Je suis d'avis de t'en chercher une qui te
plaise. Explique-moi naturellement ce que tu penses là-
dessus. Je lui répondis que je ne mettais plus de distinction entre les femmes, et qu'après le malheur qui
venait de m'arriver je les détestais toutes également.
Je t'en chercherai une, reprit mon père en souriant,
qui ressemblera à Manon, et qui sera plus fidèle. Ah!
si vous avez quelque bonté pour moi, lui dis-je, c'est
elle qu'il faut me rendre. Soyez sûr, mon cher père,
qu'elle ne m'a point trahi; elle n'est pas capable d'une

si noire et si cruelle lâcheté. C'est le perfide B... qui
nous trompe, vous, elle et moi. Si vous saviez combien
elle est tendre et sincère, si vous la connaissiez, vous
l'aimeriez vous-même. Vous êtes un enfant, repartit
mon père. Comment pouvez-vous vous aveugler jusqu'à ce point, après ce que je vous ai raconté d'elle ?
C'est elle-même qui vous a livré à votre frère. Vous
devriez oublier jusqu'à son nom, et profiter, si vous
êtes sage, de l'indulgence que j'ai pour vous. Je recon-
naissais trop clairement qu'il avait raison. C'était un
mouvement involontaire qui me faisait prendre ainsi
le parti de mon infidèle. Hélas! repris-je, après un
moment de silence, il n'est que trop vrai que je suis
le malheureux objet de la plus lâche de toutes les
perfidies. Oui, continuai-je, en versant des larmes de
dépit, je vois bien que je ne suis qu'un enfant. Ma
crédulité ne leur coûtait guère à tromper. Mais je sais
bien ce que j'ai à faire pour me venger. Mon père
voulut savoir quel était mon dessein. J'irai à Paris,
lui dis-je, je mettrai le feu à la maison de B..., et je le
brûlerai tout vif avec la perfide Manon. Cet emportement fit rire mon père et ne servit qu'à me faire garder
plus étroitement dans ma prison.

J'y passai six mois entiers, pendant le premier desquels il y eut peu de changement dans mes dispositions. Tous mes sentiments n'étaient qu'une alternative
perpétuelle de haine et d'amour, d'espérance ou de
désespoir, selon l'idée sous laquelle Manon s'offrait
à mon esprit. Tantôt je ne considérais en elle que la
plus aimable de toutes les filles, et je languissais du
désir de la revoir; tantôt je n'y apercevais qu'une lâche
et perfide maîtresse, et je faisais mille serments de ne la
chercher que pour la punir. On me donna des livres, qui
servirent à rendre un peu de tranquillité à mon âme.
Je relus tous mes auteurs; j'acquis de nouvelles connais-
sances; je repris un goût infini pour l'étude. Vous verrez
de quelle utilité il me fut dans la suite. Les lumières
que je devais à l'amour me firent trouver de la clarté
dans quantité d'endroits d'Horace et de Virgile, qui
m'avaient paru obscurs auparavant. Je fis un commen-
taire amoureux sur le quatrième livre de *l'Enéide;*

je le destine à voir le jour, et je me flatte que le public
en sera satisfait. Hélas! disais-je en le faisant, c'était
un cœur tel que le mien qu'il fallait à la fidèle Didon.

Tiberge vint me voir un jour dans ma prison. Je fus
surpris du transport avec lequel il m'embrassa. Je
n'avais point encore eu de preuves de son affection
qui pussent me la faire regarder autrement que comme
une simple amitié de collège, telle qu'elle se forme entre
de jeunes gens qui sont à peu près du même âge. Je le
trouvai si changé et si formé, depuis cinq ou six mois
que j'avais passés sans le voir, que sa figure et le ton
de son discours m'inspirèrent du respect. Il me parla en
conseiller sage, plutôt qu'en ami d'école. Il plaignit
l'égarement où j'étais tombé. Il me félicita de ma guérison, qu'il croyait avancée; enfin il m'exhorta à
profiter de cette erreur de jeunesse pour ouvrir les
yeux sur la vanité des plaisirs. Je le regardai avec
étonnement. Il s'en aperçut. Mon cher Chevalier, me
dit-il, je ne vous dis rien qui ne soit solidement vrai, et
dont je ne me sois convaincu par un sérieux examen.
J'avais autant de penchant que vous vers la volupté,
mais le Ciel m'avait donné, en même temps, du goût
pour la vertu. Je me suis servi de ma raison pour comparer les fruits de l'une et de l'autre et je n'ai pas tardé
longtemps à découvrir leurs différences. Le secours du
Ciel s'est joint à mes réflexions. J'ai conçu pour le
monde un mépris auquel il n'y a rien d'égal. Devine-
riez-vous ce qui m'y retient, ajouta-t-il, et ce qui m'empêche de courir à la solitude? C'est uniquement la
tendre amitié que j'ai pour vous. Je connais l'excellence de votre cœur et de votre esprit; il n'y a rien de
bon dont vous ne puissiez vous rendre capable. Le
poison du plaisir vous a fait écarter du chemin. Quelle
perte pour la vertu! Votre fuite d'Amiens m'a causé
tant de douleur, que je n'ai pas goûté, depuis, un seul
moment de satisfaction. Jugez-en par les démarches
qu'elle m'a fait faire. Il me raconta qu'après s'être
aperçu que je l'avais trompé et que j'étais parti avec ma
maîtresse, il était monté à cheval pour me suivre; mais
qu'ayant sur lui quatre ou cinq heures d'avance, il lui
avait été impossible de me joindre; qu'il était arrivé

néanmoins à Saint-Denis une demi-heure après mon
départ ; qu'étant bien certain que je me serais arrêté
à Paris, il y avait passé six semaines à me chercher inutilement ; qu'il allait dans tous les lieux où il se flattait
de pouvoir me trouver, et qu'un jour enfin il avait
reconnu ma maîtresse à la Comédie ; qu'elle y était
dans une parure si éclatante qu'il s'était imaginé qu'elle
devait cette fortune à un nouvel amant ; qu'il avait
suivi son carrosse jusqu'à sa maison, et qu'il avait
appris d'un domestique qu'elle était entretenue par les
libéralités de Monsieur B... Je ne m'arrêtai point là,
continua-t-il. J'y retournai le lendemain, pour apprendre d'elle-même ce que vous étiez devenu ; elle me
quitta brusquement, lorsqu'elle m'entendit parler de
vous, et je fus obligé de revenir en province sans aucun
autre éclaircissement. J'y appris votre aventure et la
consternation extrême qu'elle vous a causée ; mais je
n'ai pas voulu vous voir, sans être assuré de vous
trouver plus tranquille.

Vous avez donc vu Manon, lui répondis-je en soupirant. Hélas ! vous êtes plus heureux que moi, qui suis
condamné à ne la revoir jamais. Il me fit des reproches
de ce soupir, qui marquait encore de la faiblesse pour
elle. Il me flatta si adroitement sur la bonté de mon
caractère et sur mes inclinations, qu'il me fit naître
dès cette première visite, une forte envie de renoncer
comme lui à tous les plaisirs du siècle pour entrer dans
l'état ecclésiastique.

Je goûtai tellement cette idée que, lorsque je me trouvai seul, je ne m'occupai plus d'autre chose. Je me
rappelai les discours de M. l'Evêque d'Amiens, qui
m'avait donné le même conseil, et les présages heureux
qu'il avait formés en ma faveur, s'il m'arrivait d'embrasser ce parti. La piété se mêla aussi dans mes considérations. Je mènerai une vie sage et chrétienne, disais-
je ; je m'occuperai de l'étude et de la religion, qui ne
me permettront point de penser aux dangereux plaisirs
de l'amour. Je mépriserai ce que le commun des
hommes admire ; et comme je sens assez que mon cœur
ne désirera que ce qu'il estime, j'aurai aussi peu d'inquiétudes que de désirs. Je formai là-dessus, d'avance,

un système de vie paisible et solitaire. J'y faisais entrer une maison écartée, avec un petit bois et un ruisseau d'eau douce au bout du jardin, une bibliothèque composée de livres choisis, un petit nombre d'amis vertueux et de bon sens, une table propre, mais frugale et modérée. J'y joignais un commerce de lettres avec un ami qui ferait son séjour à Paris, et qui m'informerait des nouvelles publiques, moins pour satisfaire ma curiosité que pour me faire un divertissement des folles agitations des hommes. Ne serai-je pas heureux ? ajoutais-je; toutes mes prétentions ne seront-elles point remplies ? Il est certain que ce projet flattait extrêmement mes inclinations. Mais, à la fin d'un si sage arrangement, je sentais que mon cœur attendait encore quelque chose, et que, pour n'avoir rien à désirer dans la plus charmante solitude, il y fallait être avec Manon.

Cependant, Tiberge continuant de me rendre de fréquentes visites, dans le dessein qu'il m'avait inspiré, je pris l'occasion d'en faire l'ouverture à mon père. Il me déclara que son intention était de laisser ses enfants libres dans le choix de leur condition et que, de quelque manière que je voulusse disposer de moi, il ne se réserverait que le droit de m'aider de ses conseils. Il m'en donna de fort sages, qui tendaient moins à me dégoûter de mon projet, qu'à me le faire embrasser avec connaissance. Le renouvellement de l'année scolastique approchait. Je convins avec Tiberge de nous mettre ensemble au séminaire de Saint-Sulpice, lui pour achever ses études de théologie, et moi pour commencer les miennes. Son mérite, qui était connu de l'évêque du diocèse, lui fit obtenir de ce prélat un bénéfice considérable avant notre départ.

Mon père, me croyant tout à fait revenu de ma passion, ne fit aucune difficulté de me laisser partir. Nous arrivâmes à Paris. L'habit ecclésiastique prit la place de la croix de Malte, et le nom d'abbé des Grieux celle de chevalier. Je m'attachai à l'étude avec tant d'application, que je fis des progrès extraordinaires en peu de mois. J'y employais une partie de la nuit, et je ne perdais pas un moment du jour. Ma réputation eut tant d'éclat, qu'on me félicitait déjà sur les dignités que je ne pouvais manquer d'obtenir, et sans l'avoir sollicité, mon nom fut couché sur la feuille des bénéfices. La piété n'était pas plus négligée; j'avais de la ferveur pour tous les exercices. Tiberge était charmé de ce qu'il regardait comme son ouvrage, et je l'ai vu plusieurs fois répandre des larmes, en s'applaudissant de ce qu'il nommait ma conversion. Que les résolutions humaines soient sujettes à changer, c'est ce qui ne m'a jamais causé d'étonnement; une passion les fait naître, une autre passion peut les détruire; mais quand je pense à la sainteté de celles qui m'avaient conduit à Saint-Sulpice et à la joie intérieure que le Ciel m'y faisait goûter en les exécutant, je suis effrayé de la facilité avec laquelle j'ai pu les rompre. S'il est vrai que les secours célestes sont à tous moments d'une force égale à celle des passions, qu'on m'explique donc par quel funeste ascendant on se trouve emporté tout d'un coup loin de son devoir, sans se trouver capable de la moindre résistance, et sans ressentir le moindre remords. Je me croyais absolument délivré des faiblesses de l'amour. Il me semblait que j'aurais préféré la lecture d'une page de saint Augustin, ou un quart d'heure de méditation chrétienne, à tous les plaisirs des sens, sans excepter ceux qui m'auraient été offerts par Manon. Cependant, un instant malheureux me fit retomber dans le précipice, et ma chute fut d'autant plus irréparable, que me trouvant tout d'un coup au même degré de profondeur d'où j'étais sorti, les nouveaux désordres où je tombai me portèrent bien plus loin vers le fond de l'abîme.

J'avais passé près d'un an à Paris, sans m'informer des affaires de Manon. Il m'en avait d'abord coûté beaucoup pour me faire cette violence; mais les conseils toujours présents de Tiberge, et mes propres réflexions, m'avaient fait obtenir la victoire. Les derniers mois s'étaient écoulés si tranquillement que je me croyais sur le point d'oublier éternellement cette charmante et perfide créature. Le temps arriva auquel je devais soutenir un exercice public dans l'Ecole de Théologie. Je fis prier plusieurs personnes de consi-

dération de m'honorer de leur présence. Mon nom
fut ainsi répandu dans tous les quartiers de Paris : il
alla jusqu'aux oreilles de mon infidèle. Elle ne le
reconnut pas avec certitude sous le titre d'abbé; mais
un reste de curiosité, ou peut-être quelque repentir de
m'avoir trahi (je n'ai jamais pu démêler lequel de ces
deux sentiments) lui fit prendre intérêt à un nom si
semblable au mien; elle vint en Sorbonne avec quelques
autres dames. Elle fut présente à mon exercice, et sans
doute qu'elle eut peu de peine à me remettre.

Je n'eus pas la moindre connaissance de cette visite.
On sait qu'il y a, dans ces lieux, des cabinets particuliers pour les dames, où elles sont cachées derrière une
jalousie. Je retournai à Saint-Sulpice, couvert de gloire
et chargé de compliments. Il était six heures du soir. On
vint m'avertir, un moment après mon retour, qu'une
dame demandait à me voir. J'allai au parloir sur-le-
champ. Dieux! quelle apparition surprenante! j'y
trouvai Manon. C'était elle, mais plus aimable et plus
brillante que je ne l'avais jamais vue. Elle était dans
sa dix-huitième année. Ses charmes surpassaient tout
ce qu'on peut décrire. C'était un air si fin, si doux, si
engageant, l'air de l'Amour même. Toute sa figure me
parut un enchantement.

Je demeurai interdit à sa vue, et ne pouvant conjec-
turer quel était le dessein de cette visite, j'attendais, les
yeux baissés et avec tremblement, qu'elle s'expliquât.
Son embarras fut, pendant quelque temps, égal au
mien, mais, voyant que mon silence continuait, elle
mit la main devant ses yeux, pour cacher quelques
larmes. Elle me dit, d'un ton timide, qu'elle confessait
que son infidélité méritait ma haine; mais que, s'il
était vrai que j'eusse jamais eu quelque tendresse pour
elle, il y avait eu, aussi, bien de la dureté à laisser
passer deux ans sans prendre soin de m'informer de
son sort, et qu'il y en avait beaucoup encore à la voir
dans l'état où elle était en ma présence, sans lui dire
une parole. Le désordre de mon âme, en l'écoutant, ne
saurait être exprimé.

Elle s'assit. Je demeurai debout, le corps à demi
tourné, n'osant l'envisager directement. Je commençai

plusieurs fois une réponse, que je n'eus pas la force
d'achever. Enfin, je fis un effort pour m'écrier dou-
loureusement : Perfide Manon! Ah! perfide! perfide!
Elle me répéta, en pleurant à chaudes larmes, qu'elle
ne prétendait point justifier sa perfidie. Que prétendez-
vous donc ? m'écriai-je encore. Je prétends mourir,
répondit-elle, si vous ne me rendez votre cœur, sans
lequel il est impossible que je vive. Demande donc ma
vie, infidèle! repris-je en versant moi-même des pleurs,
que je m'efforçai en vain de retenir. Demande ma vie,
qui est l'unique chose qui me reste à te sacrifier; car
mon cœur n'a jamais cessé d'être à toi. A peine eus-je
achevé ces derniers mots, qu'elle se leva avec transport
pour venir m'embrasser. Elle m'accabla de mille
caresses passionnées. Elle m'appela par tous les noms
que l'amour invente pour exprimer ses plus vives tendresses. Je n'y répondais encore qu'avec langueur. Quel
passage, en effet, de la situation tranquille où j'avais
été, aux mouvements tumultueux que je sentais
renaître! J'en étais épouvanté. Je frémissais, comme il
arrive lorsqu'on se trouve la nuit dans une campagne
écartée : on se croit transporté dans un nouvel ordre
de choses; on y est saisi d'une horreur secrète, dont on
ne se remet qu'après avoir considéré longtemps tous
les environs.

Nous nous assîmes l'un près de l'autre. Je pris ses
mains dans les miennes. Ah! Manon, lui dis-je en la
regardant d'un œil triste, je ne m'étais pas attendu à la
noire trahison dont vous avez payé mon amour. Il vous
était bien facile de tromper un cœur dont vous étiez
la souveraine absolue, et qui mettait toute sa félicité à
vous plaire et à vous obéir. Dites-moi maintenant si
vous en avez trouvé d'aussi tendres et d'aussi soumis.
Non, non, la Nature n'en fait guère de la même trempe
que le mien. Dites-moi, du moins, si vous l'avez quelquefois regretté. Quel fond dois-je faire sur ce retour
de bonté qui vous ramène aujourd'hui pour le consoler ? Je ne vois que trop que vous êtes plus charmante
que jamais; mais au nom de toutes les peines que j'ai
souffertes pour vous, belle Manon, dites-moi si vous
serez plus fidèle.

Elle me répondit des choses si touchantes sur son repentir, et elle s'engagea à la fidélité par tant de protestations et de serments, qu'elle m'attendrit à un degré inexprimable. Chère Manon! lui dis-je, avec un mélange profane d'expressions amoureuses et théologiques, tu es trop adorable pour une créature. Je me sens le cœur emporté par une délectation victorieuse. Tout ce qu'on dit de la liberté à Saint-Sulpice est une chimère. Je vais perdre ma fortune et ma réputation pour toi, je le prévois bien; je lis ma destinée dans tes beaux yeux; mais de quelles pertes ne serai-je pas consolé par ton amour! Les faveurs de la fortune ne me touchent point; la gloire me paraît une fumée; tous mes projets de vie ecclésiastique étaient de folles imaginations; enfin tous les biens différents de ceux que j'espère avec toi sont des biens méprisables, puisqu'ils ne sauraient tenir un moment, dans mon cœur, contre un seul de tes regards.

En lui promettant néanmoins un oubli général de ses fautes, je voulus être informé de quelle manière elle s'était laissé séduire par B... Elle m'apprit que, l'ayant vue à sa fenêtre, il était devenu passionné pour elle; qu'il avait fait sa déclaration en fermier général, c'est-à-dire en lui marquant dans une lettre que le payement serait proportionné aux faveurs; qu'elle avait capitulé d'abord, mais sans autre dessein que de tirer de lui quelque somme considérable qui pût servir à nous faire vivre commodément; qu'il l'avait éblouie par de si magnifiques promesses, qu'elle s'était laissé ébranler par degrés; que je devais juger pourtant de ses remords par la douleur dont elle m'avait laissé voir des témoignages, la veille de notre séparation; que, malgré l'opulence dans laquelle il l'avait entretenue, elle n'avait jamais goûté de bonheur avec lui, non seulement parce qu'elle n'y trouvait point, me dit-elle, la délicatesse de mes sentiments et l'agrément de mes manières, mais parce qu'au milieu même des plaisirs qu'il lui procurait sans cesse, elle portait, au fond du cœur, le souvenir de mon amour, et le remords de son infidélité. Elle me parla de Tiberge et de la confusion extrême que sa visite lui avait causée. Un coup d'épée

dans le cœur, ajouta-t-elle, m'aurait moins ému le sang.
Je lui tournai le dos, sans pouvoir soutenir un moment
sa présence. Elle continua de me raconter par quels
moyens elle avait été instruite de mon séjour à Paris,
du changement de ma condition, et de mes exercices de
Sorbonne. Elle m'assura qu'elle avait été si agitée,
pendant la dispute, qu'elle avait eu beaucoup de peine,
non seulement à retenir ses larmes, mais ses gémissements mêmes et ses cris, qui avaient été plus d'une fois
sur le point d'éclater. Enfin, elle me dit qu'elle était
sortie de ce lieu la dernière, pour cacher son désordre,
et que, ne suivant que le mouvement de son cœur et
l'impétuosité de ses désirs, elle était venue droit au
séminaire, avec la résolution d'y mourir si elle ne me
trouvait pas disposé à lui pardonner.

Où trouver un barbare qu'un repentir si vif et si
tendre n'eût pas touché ? Pour moi, je sentis, dans ce
moment, que j'aurais sacrifié pour Manon tous les
évêchés du monde chrétien. Je lui demandai quel nouvel ordre elle jugeait à propos de mettre dans nos
affaires. Elle me dit qu'il fallait sur-le-champ sortir du
séminaire, et remettre à nous arranger dans un lieu
plus sûr. Je consentis à toutes ses volontés sans
réplique. Elle entra dans son carrosse, pour aller m'attendre au coin de la rue. Je m'échappai un moment
après, sans être aperçu du portier. Je montai avec elle.
Nous passâmes à la friperie. Je repris les galons et
l'épée. Manon fournit aux frais, car j'étais sans un
sou; et dans la crainte que je ne trouvasse de l'obstacle à ma sortie de Saint-Sulpice, elle n'avait pas
voulu que je retournasse un moment à ma chambre
pour y prendre mon argent. Mon trésor, d'ailleurs,
était médiocre, et elle assez riche des libéralités de B...
pour mépriser ce qu'elle me faisait abandonner. Nous
conférâmes, chez le fripier même, sur le parti que nous
allions prendre. Pour me faire valoir davantage le
sacrifice qu'elle me faisait de B..., elle résolut de ne pas
garder avec lui le moindre ménagement. Je veux lui
laisser ses meubles, me dit-elle, ils sont à lui; mais
j'emporterai, comme de justice, les bijoux et près de
soixante mille francs que j'ai tirés de lui depuis

deux ans. Je ne lui ai donné nul pouvoir sur moi, ajouta-t-elle; ainsi nous pouvons demeurer sans crainte à Paris, en prenant une maison commode où nous vivrons heureusement. Je lui représentai que, s'il n'y avait point de péril pour elle, il y en avait beaucoup pour moi, qui ne manquerais point tôt ou tard d'être reconnu, et qui serais continuellement exposé au malheur que j'avais déjà essuyé. Elle me fit entendre qu'elle aurait du regret à quitter Paris. Je craignais tant de la chagriner, qu'il n'y avait point de hasards que je ne méprisasse pour lui plaire; cependant, nous trouvâmes un tempérament raisonnable, qui fut de louer une maison dans quelque village voisin de Paris, d'où il nous serait aisé d'aller à la ville lorsque le plaisir ou le besoin nous y appellerait. Nous choisîmes Chaillot, qui n'en est pas éloigné. Manon retourna sur-le-champ chez elle. J'allai l'attendre à la petite porte du jardin des Tuileries. Elle revint une heure après, dans un carrosse de louage, avec une fille qui la servait, et quelques malles où ses habits et tout ce qu'elle avait de précieux était renfermé.

Nous ne tardâmes point à gagner Chaillot. Nous logeâmes la première nuit à l'auberge, pour nous donner le temps de chercher une maison, ou du moins un appartement commode. Nous en trouvâmes, dès le lendemain, un de notre goût.

Mon bonheur me parut d'abord établi d'une manière inébranlable. Manon était la douceur et la complaisance même. Elle avait pour moi des attentions si délicates, que je me crus trop parfaitement dédommagé de toutes mes peines. Comme nous avions acquis tous deux un peu d'expérience, nous raisonnâmes sur la solidité de notre fortune. Soixante mille francs, qui faisaient le fond de nos richesses, n'étaient pas une somme qui pût s'étendre autant que le cours d'une longue vie. Nous n'étions pas disposés d'ailleurs à resserrer trop notre dépense. La première vertu de Manon, non plus que la mienne, n'était pas l'économie. Voici le plan que je me proposai : Soixante mille francs, lui dis-je, peuvent nous soutenir pendant dix ans. Deux mille écus nous suffiront chaque année,

si nous continuons de vivre à Chaillot. Nous y mène-
rons une vie honnête, mais simple. Notre unique
dépense sera pour l'entretien d'un carrosse, et pour les
spectacles. Nous nous réglerons. Vous aimez l'Opéra :
nous irons deux fois la semaine. Pour le jeu, nous nous
bornerons tellement que nos pertes ne passeront
jamais deux pistoles. Il est impossible que, dans l'espace de dix ans, il n'arrive point de changement dans
ma famille; mon père est âgé, il peut mourir. Je me
trouverai du bien, et nous serons alors au-dessus de
toutes nos autres craintes.

Cet arrangement n'eût pas été la plus folle action de
ma vie, si nous eussions été assez sages pour nous y
assujettir constamment. Mais nos résolutions ne
durèrent guère plus d'un mois. Manon était passionnée
pour le plaisir; je l'étais pour elle. Il nous naissait, à
tous moments, de nouvelles occasions de dépense; et
loin de regretter les sommes qu'elle employait quelquefois avec profusion, je fus le premier à lui procurer
tout ce que je croyais propre à lui plaire. Notre
demeure de Chaillot commença même à lui devenir à
charge. L'hiver approchait; tout le monde retournait
à la ville, et la campagne devenait déserte. Elle me
proposa de reprendre une maison à Paris. Je n'y
consentis point; mais, pour la satisfaire en quelque
chose, je lui dis que nous pouvions y louer un appartement meublé, et que nous y passerions la nuit
lorsqu'il nous arriverait de quitter trop tard l'assem-
blée où nous allions plusieurs fois la semaine; car
l'incommodité de revenir si tard à Chaillot était le
prétexte qu'elle apportait pour le vouloir quitter.
Nous nous donnâmes ainsi deux logements, l'un à la
ville, et l'autre à la campagne. Ce changement mit
bientôt le dernier désordre dans nos affaires, en faisant naître deux aventures qui causèrent notre ruine.

Manon avait un frère, qui était garde du corps. Il
se trouva malheureusement logé, à Paris, dans la même
rue que nous. Il reconnut sa sœur, en la voyant le
matin à sa fenêtre. Il accourut aussitôt chez nous.
C'était un homme brutal et sans principes d'honneur.
Il entra dans notre chambre en jurant horriblement,

et comme il savait une partie des aventures de sa sœur, il l'accabla d'injures et de reproches. J'étais sorti un moment auparavant, ce qui fut sans doute un bonheur pour lui ou pour moi, qui n'étais rien moins que disposé à souffrir une insulte. Je ne retournai au logis qu'après son départ. La tristesse de Manon me fit juger qu'il s'était passé quelque chose d'extraordinaire. Elle me raconta la scène fâcheuse qu'elle venait d'essuyer, et les menaces brutales de son frère. J'en eus tant de ressentiment, que j'eusse couru sur-le-champ à la vengeance si elle ne m'eût arrêté par ses larmes. Pendant que je m'entretenais avec elle de cette aventure, le garde du corps rentra dans la chambre où nous étions, sans s'être fait annoncer. Je ne l'aurais pas reçu aussi civilement que je fis si je l'eusse connu; mais, nous ayant salués d'un air riant, il eut le temps de dire à Manon qu'il venait lui faire des excuses de son emportement; qu'il l'avait crue dans le désordre, et que cette opinion avait allumé sa colère; mais que, s'étant informé qui j'étais, d'un de nos domestiques, il avait appris de moi des choses si avantageuses, qu'elles lui faisaient désirer de bien vivre avec nous. Quoique cette information, qui lui venait d'un de mes laquais, eût quelque chose de bizarre et de choquant, je reçus son compliment avec honnêteté. Je crus faire plaisir à Manon. Elle paraissait charmée de le voir porté à se réconcilier. Nous le retînmes à dîner. Il se rendit, en peu de moments, si familier, que nous ayant entendus parler de notre retour à Chaillot, il voulut absolument nous tenir compagnie. Il fallut lui donner une place dans notre carrosse. Ce fut une prise de possession, car il s'accoutuma bientôt à nous voir avec tant de plaisir, qu'il fit sa maison de la nôtre et qu'il se rendit le maître, en quelque sorte, de tout ce qui nous appartenait. Il m'appelait son frère, et sous prétexte de la liberté fraternelle, il se mit sur le pied d'amener tous ses amis dans notre maison de Chaillot, et de les y traiter à nos dépens. Il se fit habiller magnifiquement à nos frais. Il nous engagea même à payer toutes ses dettes. Je fermais les yeux sur cette tyrannie, pour ne pas déplaire à Manon, jusqu'à feindre de ne pas

m'apercevoir qu'il tirait d'elle, de temps en temps, des
sommes considérables. Il est vrai, qu'étant grand
joueur, il avait la fidélité de lui en remettre une partie
lorsque la fortune le favorisait; mais la nôtre était trop
médiocre pour fournir longtemps à des dépenses si
peu modérées. J'étais sur le point de m'expliquer fortement avec lui, pour nous délivrer de ses importunités,
lorsqu'un funeste accident m'épargna cette peine,
en nous en causant une autre qui nous abîma sans ressource.

Nous étions demeurés un jour à Paris, pour y coucher, comme il nous arrivait fort souvent. La servante,
qui restait seule à Chaillot dans ces occasions, vint
m'avertir, le matin, que le feu avait pris, pendant la
nuit, dans ma maison, et qu'on avait eu beaucoup de
difficulté à l'éteindre. Je lui demandai si nos meubles
avaient souffert quelque dommage; elle me répondit
qu'il y avait eu une si grande confusion, causée par
la multitude d'étrangers qui étaient venus au secours,
qu'elle ne pouvait être assurée de rien. Je tremblai pour
notre argent, qui était renfermé dans une petite caisse.
Je me rendis promptement à Chaillot. Diligence inutile; la caisse avait déjà disparu. J'éprouvai alors qu'on
peut aimer l'argent sans être avare. Cette perte me
pénétra d'une si vive douleur que j'en pensai perdre la
raison. Je compris tout d'un coup à quels nouveaux
malheurs j'allais me trouver exposé; l'indigence était
le moindre. Je connaissais Manon; je n'avais déjà que
trop éprouvé que, quelque fidèle et quelque attachée
qu'elle me fût dans la bonne fortune, il ne fallait pas
compter sur elle dans la misère. Elle aimait trop l'abondance et les plaisirs pour me les sacrifier : Je la perdrai,
m'écriai-je. Malheureux Chevalier, tu vas donc perdre
encore tout ce que tu aimes! Cette pensée me jeta dans
un trouble si affreux, que je balançai, pendant quelques
moments, si je ne ferais pas mieux de finir tous mes
maux par la mort. Cependant, je conservai assez de
présence d'esprit pour vouloir examiner auparavant
s'il ne me restait nulle ressource. Le Ciel me fit naître
une idée, qui arrêta mon désespoir. Je crus qu'il ne me
serait pas impossible de cacher notre perte à Manon, et

que, par industrie ou par quelque faveur du hasard, je
pourrais fournir assez honnêtement à son entretien
pour l'empêcher de sentir la nécessité. J'ai compté,
disais-je pour me consoler, que vingt mille écus nous
suffiraient pendant dix ans. Supposons que les dix ans
soient écoulés, et que nul des changements que j'espérais ne soit arrivé dans ma famille. Quel parti pren-
drais-je ? Je ne le sais pas trop bien, mais, ce que je
ferais alors, qui m'empêche de le faire aujourd'hui ?
Combien de personnes vivent à Paris, qui n'ont ni
mon esprit, ni mes qualités naturelles, et qui doivent
néanmoins leur entretien à leurs talents, tels qu'ils les
ont! La Providence, ajoutais-je, en réfléchissant sur
les différents états de la vie, n'a-t-elle pas arrangé les
choses fort sagement ? La plupart des grands et des
riches sont des sots : cela est clair à qui connaît un
peu le monde. Or il y a là-dedans une justice admirable :
s'ils joignaient l'esprit aux richesses, ils seraient trop
heureux, et le reste des hommes trop misérable. Les
qualités du corps et de l'âme sont accordées à ceux-ci,
comme des moyens pour se tirer de la misère et de la
pauvreté. Les uns prennent part aux richesses des
grands en servant à leurs plaisirs : ils en font des dupes ;
d'autres servent à leur instruction : ils tâchent d'en
faire d'honnêtes gens ; il est rare, à la vérité, qu'ils y
réussissent, mais ce n'est pas là le but de la divine
Sagesse : ils tirent toujours un fruit de leurs soins, qui
est de vivre aux dépens de ceux qu'ils instruisent ;
et de quelque façon qu'on le prenne, c'est un fond
excellent de revenu pour les petits, que la sottise des
riches et des grands.

    Ces pensées me remirent un peu le cœur et la tête.
Je résolus d'abord d'aller consulter M. Lescaut, frère
de Manon. Il connaissait parfaitement Paris, et je
n'avais eu que trop d'occasions de reconnaître que ce
n'était ni de son bien ni de la paye du roi qu'il tirait
son plus clair revenu. Il me restait à peine vingt pistoles qui s'étaient trouvées heureusement dans ma
poche. Je lui montrai ma bourse, en lui expliquant mon
malheur et mes craintes, et je lui demandai s'il y avait
pour moi un parti à choisir entre celui de mourir de

faim, ou de me casser la tête de désespoir. Il me répondit que se casser la tête était la ressource des sots ; pour
mourir de faim, qu'il y avait quantité de gens d'esprit
qui s'y voyaient réduits, quand ils ne voulaient pas
faire usage de leurs talents ; que c'était à moi d'examiner de quoi j'étais capable ; qu'il m'assurait de son
secours et de ses conseils dans toutes mes entreprises.

Cela est bien vague, monsieur Lescaut, lui dis-je ;
mes besoins demanderaient un remède plus présent,
car que voulez-vous que je dise à Manon ? A propos
de Manon, reprit-il, qu'est-ce qui vous embarrasse ?
N'avez-vous pas toujours, avec elle, de quoi finir vos
inquiétudes quand vous le voudrez ? Une fille comme
elle devrait nous entretenir, vous, elle et moi. Il me
coupa la réponse que cette impertinence méritait,
pour continuer de me dire qu'il me garantissait avant
le soir mille écus à partager entre nous, si je voulais
suivre son conseil ; qu'il connaissait un seigneur, si
libéral sur le chapitre des plaisirs, qu'il était sûr que
mille écus ne lui coûteraient rien pour obtenir les
faveurs d'une fille telle que Manon. Je l'arrêtai. J'avais
meilleure opinion de vous, lui répondis-je ; je m'étais
figuré que le motif que vous aviez eu, pour m'accorder
votre amitié, était un sentiment tout opposé à celui où
vous êtes maintenant. Il me confessa impudemment
qu'il avait toujours pensé de même, et que, sa sœur
ayant une fois violé les lois de son sexe, quoique en
faveur de l'homme qu'il aimait le plus, il ne s'était
réconcilié avec elle que dans l'espérance de tirer parti
de sa mauvaise conduite. Il me fut aisé de juger que
jusqu'alors nous avions été ses dupes. Quelque émotion néanmoins que ce discours m'eût causée, le
besoin que j'avais de lui m'obligea de répondre, en
riant, que son conseil était une dernière ressource
qu'il fallait remettre à l'extrémité. Je le priai de m'ouvrir quelque autre voie. Il me proposa de profiter de
ma jeunesse et de la figure avantageuse que j'avais
reçue de la nature, pour me mettre en liaison avec
quelque dame vieille et libérale. Je ne goûtai pas non
plus ce parti, qui m'aurait rendu infidèle à Manon. Je
lui parlai du jeu, comme du moyen le plus facile, et le

plus convenable à ma situation. Il me dit que le jeu,
à la vérité, était une ressource, mais que cela demandait
d'être expliqué; qu'entreprendre de jouer simplement,
avec les espérances communes, c'était le vrai moyen
d'achever ma perte; que de prétendre exercer seul, et
sans être soutenu, les petits moyens qu'un habile
homme emploie pour corriger la fortune, était un
métier trop dangereux; qu'il y avait une troisième voie,
qui était celle de l'association, mais que ma jeunesse
lui faisait craindre que messieurs les Confédérés ne me
jugeassent point encore les qualités propres à la
Ligue. Il me promit néanmoins ses bons offices
auprès d'eux; et ce que je n'aurais pas attendu de lui,
il m'offrit quelque argent, lorsque je me trouverais
pressé du besoin. L'unique grâce que je lui demandai,
dans les circonstances, fut de ne rien apprendre à
Manon de la perte que j'avais faite, et du sujet de notre
conversation.

Je sortis de chez lui, moins satisfait encore que je n'y
étais entré; je me repentis même de lui avoir confié mon
secret. Il n'avait rien fait, pour moi, que je n'eusse pu
obtenir de même sans cette ouverture, et je craignais
mortellement qu'il ne manquât à la promesse qu'il
m'avait faite de ne rien découvrir à Manon. J'avais lieu
d'appréhender aussi, par la déclaration de ses sentiments, qu'il ne formât le dessein de tirer parti d'elle,
suivant ses propres termes, en l'enlevant de mes mains,
ou, du moins, en lui conseillant de me quitter pour
s'attacher à quelque amant plus riche et plus heureux.
Je fis là-dessus mille réflexions, qui n'aboutirent qu'à
me tourmenter et à renouveler le désespoir où j'avais
été le matin. Il me vint plusieurs fois à l'esprit d'écrire
à mon père, et de feindre une nouvelle conversion,
pour obtenir de lui quelque secours d'argent; mais je
me rappelai aussitôt que, malgré toute sa bonté, il
m'avait resserré six mois dans une étroite prison, pour
ma première faute; j'étais bien sûr qu'après un éclat
tel que l'avait dû causer ma fuite de Saint-Sulpice, il
me traiterait beaucoup plus rigoureusement. Enfin,
cette confusion de pensées en produisit une qui remit
le calme tout d'un coup dans mon esprit, et que je

m'étonnai de n'avoir pas eue plus tôt, ce fut de recou-
rir à mon ami Tiberge, dans lequel j'étais bien certain
de retrouver toujours le même fond de zèle et d'amitié.
Rien n'est plus admirable, et ne fait plus d'honneur à
la vertu, que la confiance avec laquelle on s'adresse
aux personnes dont on connaît parfaitement la pro-
bité. On sent qu'il n'y a point de risque à courir. Si
elles ne sont pas toujours en état d'offrir du secours, on
est sûr qu'on en obtiendra du moins de la bonté et de
la compassion. Le cœur, qui se ferme avec tant de
soin au reste des hommes, s'ouvre naturellement en
leur présence, comme une fleur s'épanouit à la lumière
du soleil, dont elle n'attend qu'une douce influence.

Je regardai comme un effet de la protection du Ciel
de m'être souvenu si à propos de Tiberge, et je résolus
de chercher les moyens de le voir avant la fin du jour.
Je retournai sur-le-champ au logis, pour lui écrire un
mot, et lui marquer un lieu propre à notre entretien.
Je lui recommandais le silence et la discrétion, comme
un des plus importants services qu'il pût me rendre
dans la situation de mes affaires. La joie que l'espérance de le voir m'inspirait effaça les traces du chagrin que Manon n'aurait pas manqué d'apercevoir sur
mon visage. Je lui parlai de notre malheur de Chaillot
comme d'une bagatelle qui ne devait pas l'alarmer; et
Paris étant le lieu du monde où elle se voyait avec le
plus de plaisir, elle ne fut pas fâchée de m'entendre dire
qu'il était à propos d'y demeurer, jusqu'à ce qu'on
eût réparé à Chaillot quelques légers effets de l'incendie. Une heure après, je reçus la réponse de Tiberge,
qui me promettait de se rendre au lieu de l'assignation. J'y courus avec impatience. Je sentais néanmoins
quelque honte d'aller paraître aux yeux d'un ami, dont
la seule présence devait être un reproche de mes
désordres, mais l'opinion que j'avais de la bonté de son
cœur et l'intérêt de Manon soutinrent ma hardiesse.

Je l'avais prié de se trouver au jardin du Palais-
Royal. Il y était avant moi. Il vint m'embrasser, aussitôt qu'il m'eut aperçu. Il me tint serré longtemps
entre ses bras, et je sentis mon visage mouillé de ses
larmes. Je lui dis que je ne me présentais à lui qu'avec

confusion, et que je portais dans le cœur un vif sentiment de mon ingratitude; que la première chose dont
je le conjurais était de m'apprendre s'il m'était encore
permis de le regarder comme mon ami, après avoir
mérité si justement de perdre son estime et son affection. Il me répondit, du ton le plus tendre, que rien
n'était capable de le faire renoncer à cette qualité; que
mes malheurs mêmes, et si je lui permettais de le dire,
mes fautes et mes désordres, avaient redoublé sa tendresse pour moi; mais que c'était une tendresse mêlée
de la plus vive douleur, telle qu'on la sent pour une
personne chère, qu'on voit toucher à sa perte sans
pouvoir la secourir.

Nous nous assîmes sur un banc. Hélas! lui dis-je,
avec un soupir parti du fond du cœur, votre compassion doit être excessive, mon cher Tiberge, si vous
m'assurez qu'elle est égale à mes peines. J'ai honte de
vous les laisser voir, car je confesse que la cause n'en
est pas glorieuse, mais l'effet en est si triste qu'il n'est
pas besoin de m'aimer autant que vous faites pour en
être attendri. Il me demanda, comme une marque
d'amitié, de lui raconter sans déguisement ce qui
m'était arrivé depuis mon départ de Saint-Sulpice. Je
le satisfis; et loin d'altérer quelque chose à la vérité,
ou de diminuer mes fautes pour les faire trouver plus
excusables, je lui parlai de ma passion avec toute la
force qu'elle m'inspirait. Je la lui représentai comme
un de ces coups particuliers du destin qui s'attache à la
ruine d'un misérable, et dont il est aussi impossible à la
vertu de se défendre qu'il l'a été à la sagesse de les prévoir. Je lui fis une vive peinture de mes agitations, de
mes craintes, du désespoir où j'étais deux heures avant
que de le voir, et de celui dans lequel j'allais retomber,
si j'étais abandonné par mes amis aussi impitoyablement que par la fortune; enfin, j'attendris tellement le
bon Tiberge, que je le vis aussi affligé par la compassion que je l'étais par le sentiment de mes peines. Il
ne se lassait point de m'embrasser, et de m'exhorter à
prendre du courage et de la consolation, mais, comme
il supposait toujours qu'il fallait me séparer de Manon,
je lui fis entendre nettement que c'était cette sépara-

tion même que je regardais comme la plus grande de
mes infortunes, et que j'étais disposé à souffrir, non
seulement le dernier excès de la misère, mais la mort
la plus cruelle, avant que de recevoir un remède plus
insupportable que tous mes maux ensemble.

Expliquez-vous donc, me dit-il : quelle espèce de
secours suis-je capable de vous donner, si vous vous
révoltez contre toutes mes propositions ? Je n'osais lui
déclarer que c'était de sa bourse que j'avais besoin. Il
le comprit pourtant à la fin, et m'ayant confessé qu'il
croyait m'entendre, il demeura quelque temps suspendu, avec l'air d'une personne qui balance. Ne
croyez pas, reprit-il bientôt, que ma rêverie vienne d'un
refroidissement de zèle et d'amitié. Mais à quelle
alternative me réduisez-vous, s'il faut que je vous
refuse le seul secours que vous voulez accepter, ou que
je blesse mon devoir en vous l'accordant ? car n'est-ce
pas prendre part à votre désordre, que de vous y faire
persévérer ? Cependant, continua-t-il après avoir
réfléchi un moment, je m'imagine que c'est peut-être
l'état violent où l'indigence vous jette, qui ne vous
laisse pas assez de liberté pour choisir le meilleur
parti ; il faut un esprit tranquille pour goûter la sagesse
et la vérité. Je trouverai le moyen de vous faire avoir
quelque argent. Permettez-moi, mon cher Chevalier,
ajouta-t-il en m'embrassant, d'y mettre seulement une
condition : c'est que vous m'apprendrez le lieu de
votre demeure, et que vous souffrirez que je fasse du
moins mes efforts pour vous ramener à la vertu, que
je sais que vous aimez, et dont il n'y a que la violence
de vos passions qui vous écarte. Je lui accordai sincèrement tout ce qu'il souhaitait, et je le priai de
plaindre la malignité de mon sort, qui me faisait profiter
si mal des conseils d'un ami si vertueux. Il me mena
aussitôt chez un banquier de sa connaissance, qui
m'avança cent pistoles sur son billet, car il n'était rien
moins qu'en argent comptant. J'ai déjà dit qu'il n'était
pas riche. Son bénéfice valait mille écus, mais, comme
c'était la première année qu'il le possédait, il n'avait
encore rien touché du revenu : c'était sur les fruits
futurs qu'il me faisait cette avance.

Je sentis tout le prix de sa générosité. J'en fus touché, jusqu'au point de déplorer l'aveuglement d'un amour fatal qui me faisait violer tous les devoirs. La vertu eut assez de force pendant quelques moments pour s'élever dans mon cœur contre ma passion, et j'aperçus du moins, dans cet instant de lumière, la honte et l'indignité de mes chaînes. Mais ce combat fut léger et dura peu. La vue de Manon m'aurait fait précipiter du ciel, et je m'étonnai, en me retrouvant près d'elle, que j'eusse pu traiter un moment de honteuse une tendresse si juste pour un objet si charmant.

Manon était une créature d'un caractère extraordinaire. Jamais fille n'eut moins d'attachement qu'elle pour l'argent, mais elle ne pouvait être tranquille un moment, avec la crainte d'en manquer. C'était du plaisir et des passe-temps qu'il lui fallait. Elle n'eût jamais voulu toucher un sou, si l'on pouvait se divertir sans qu'il en coûte. Elle ne s'informait pas même quel était le fonds de nos richesses, pourvu qu'elle pût passer agréablement la journée, de sorte que, n'étant ni excessivement livrée au jeu ni capable d'être éblouie par le faste des grandes dépenses, rien n'était plus facile que de la satisfaire, en lui faisant naître tous les jours des amusements de son goût. Mais c'était une chose si nécessaire pour elle, d'être ainsi occupée par le plaisir, qu'il n'y avait pas le moindre fond à faire, sans cela, sur son humeur et sur ses inclinations. Quoiqu'elle m'aimât tendrement, et que je fusse le seul, comme elle en convenait volontiers, qui pût lui faire goûter parfaitement les douceurs de l'amour, j'étais presque certain que sa tendresse ne tiendrait point contre de certaines craintes. Elle m'aurait préféré à toute la terre avec une fortune médiocre; mais je ne doutais nullement qu'elle ne m'abandonnât pour quelque nouveau B... lorsqu'il ne me resterait que de la constance et de la fidélité à lui offrir. Je résolus donc de régler si bien ma dépense particulière que je fusse toujours en état de fournir aux siennes, et de me priver plutôt de mille choses nécessaires que de la borner même pour le superflu. Le carrosse m'effrayait plus que tout le reste; car il n'y avait point d'apparence de

pouvoir entretenir des chevaux et un cocher. Je découvris ma peine à M. Lescaut. Je ne lui avais point caché
que j'eusse reçu cent pistoles d'un ami. Il me répéta
que, si je voulais tenter le hasard du jeu, il ne désespé-
rait point qu'en sacrifiant de bonne grâce une centaine
de francs pour traiter ses associés, je ne pusse être
admis, à sa recommandation, dans la Ligue de l'Industrie. Quelque répugnance que j'eusse à tromper, je
me laissai entraîner par une cruelle nécessité.

M. Lescaut me présenta, le soir même, comme un
de ses parents; il ajouta que j'étais d'autant mieux
disposé à réussir, que j'avais besoin des plus grandes
faveurs de la fortune. Cependant, pour faire connaître
que ma misère n'était pas celle d'un homme de néant,
il leur dit que j'étais dans le dessein de leur donner à
souper. L'offre fut acceptée. Je les traitai magnifiquement. On s'entretint longtemps de la gentillesse de ma
figure et de mes heureuses dispositions. On prétendit
qu'il y avait beaucoup à espérer de moi, parce qu'ayant
quelque chose dans la physionomie qui sentait l'honnête homme, personne ne se défierait de mes artifices.
Enfin, on rendit grâces à M. Lescaut d'avoir procuré
à l'Ordre un novice de mon mérite, et l'on chargea un
des chevaliers de me donner, pendant quelques jours,
les instructions nécessaires. Le principal théâtre de mes
exploits devait être l'hôtel de Transylvanie, où il y
avait une table de pharaon dans une salle et divers
autres jeux de cartes et de dés dans la galerie. Cette
académie se tenait au profit de M. le prince de R...,
qui demeurait alors à Clagny, et la plupart de ses
officiers étaient de notre société. Le dirai-je à ma
honte ? Je profitai en peu de temps des leçons de mon
maître. J'acquis surtout beaucoup d'habileté à faire
une volte-face, à filer la carte, et m'aidant fort bien
d'une longue paire de manchettes, j'escamotais assez
légèrement pour tromper les yeux des plus habiles,
et ruiner sans affectation quantité d'honnêtes joueurs.
Cette adresse extraordinaire hâta si fort les progrès
de ma fortune, que je me trouvai en peu de semaines
des sommes considérables, outre celles que je parta-
geais de bonne foi avec mes associés. Je ne craignis

plus, alors, de découvrir à Manon notre perte de
Chaillot, et, pour la consoler, en lui apprenant cette
fâcheuse nouvelle, je louai une maison garnie, où nous
nous établîmes avec un air d'opulence et de sécurité.

Tiberge n'avait pas manqué, pendant ce temps-là,
de me rendre de fréquentes visites. Sa morale ne
finissait point. Il recommençait sans cesse à me représenter le tort que je faisais à ma conscience, à mon
honneur et à ma fortune. Je recevais ses avis avec
amitié, et quoique je n'eusse pas la moindre disposition à les suivre, je lui savais bon gré de son zèle, parce
que j'en connaissais la source. Quelquefois je le raillais
agréablement, dans la présence même de Manon, et
je l'exhortais à n'être pas plus scrupuleux qu'un grand
nombre d'évêques et d'autres prêtres, qui savent
accorder fort bien une maîtresse avec un bénéfice.
Voyez, lui disais-je, en lui montrant les yeux de la
mienne, et dites-moi s'il y a des fautes qui ne soient
pas justifiées par une si belle cause. Il prenait patience.
Il la poussa même assez loin; mais lorsqu'il vit que
mes richesses augmentaient, et que non seulement je
lui avais restitué ses cent pistoles, mais qu'ayant loué
une nouvelle maison et doublé ma dépense, j'allais
me replonger plus que jamais dans les plaisirs, il
changea entièrement de ton et de manières. Il se plaignit de mon endurcissement; il me menaça des châtiments du Ciel, et il me prédit une partie des malheurs
qui ne tardèrent guère à m'arriver. Il est impossible,
me dit-il, que les richesses qui servent à l'entretien
de vos désordres vous soient venues par des voies
légitimes. Vous les avez acquises injustement; elles
vous seront ravies de même. La plus terrible punition
de Dieu serait de vous en laisser jouir tranquillement.
Tous mes conseils, ajouta-t-il, vous ont été inutiles;
je ne prévois que trop qu'ils vous seraient bientôt
importuns. Adieu, ingrat et faible ami. Puissent vos
criminels plaisirs s'évanouir comme une ombre!
Puissent votre fortune et votre argent périr sans ressource, et vous rester seul et nu, pour sentir la vanité
des biens qui vous ont follement enivré! C'est alors
que vous me trouverez disposé à vous aimer et à vous

servir, mais je romps aujourd'hui tout commerce avec
vous, et je déteste la vie que vous menez. Ce fut dans
ma chambre, aux yeux de Manon, qu'il me fit cette
harangue apostolique. Il se leva pour se retirer. Je
voulus le retenir, mais je fus arrêté par Manon, qui
me dit que c'était un fou qu'il fallait laisser sortir.

Son discours ne laissa pas de faire quelque impression sur moi. Je remarque ainsi les diverses occasions
où mon cœur sentit un retour vers le bien, parce que
c'est à ce souvenir que j'ai dû ensuite une partie de ma
force dans les plus malheureuses circonstances de ma
vie. Les caresses de Manon dissipèrent, en un moment,
le chagrin que cette scène m'avait causé. Nous conti-
nuâmes de mener une vie toute composée de plaisir
et d'amour. L'augmentation de nos richesses redoubla
notre affection; Vénus et la Fortune n'avaient point
d'esclaves plus heureux et plus tendres. Dieux! pourquoi nommer le monde un lieu de misères, puisqu'on
y peut goûter de si charmantes délices? Mais, hélas!
leur faible est de passer trop vite. Quelle autre félicité
voudrait-on se proposer, si elles étaient de nature à
durer toujours? Les nôtres eurent le sort commun,
c'est-à-dire de durer peu, et d'être suivies par des
regrets amers. J'avais fait, au jeu, des gains si considérables, que je pensais à placer une partie de mon
argent. Mes domestiques n'ignoraient pas mes succès,
surtout mon valet de chambre et la suivante de Manon,
devant lesquels nous nous entretenions souvent sans
défiance. Cette fille était jolie; mon valet en était
amoureux. Ils avaient affaire à des maîtres jeunes et
faciles, qu'ils s'imaginèrent pouvoir tromper aisément.
Ils en conçurent le dessein, et ils l'exécutèrent si
malheureusement pour nous, qu'ils nous mirent dans
un état dont il ne nous a jamais été possible de nous
relever.

M. Lescaut nous ayant un jour donné à souper, il
était environ minuit lorsque nous retournâmes au logis.
J'appelai mon valet, et Manon sa femme de chambre;
ni l'un ni l'autre ne parurent. On nous dit qu'ils
n'avaient point été vus dans la maison depuis huit
heures, et qu'ils étaient sortis après avoir fait trans-

porter quelques caisses, suivant les ordres qu'ils disaient avoir reçus de moi. Je pressentis une partie de la vérité, mais je ne formai point de soupçons qui ne fussent surpassés par ce que j'aperçus en entrant dans ma chambre. La serrure de mon cabinet avait été forcée, et mon argent enlevé, avec tous mes habits. Dans le temps que je réfléchissais, seul, sur cet accident, Manon vint, tout effrayée, m'apprendre qu'on avait fait le même ravage dans son appartement. Le coup me parut si cruel qu'il n'y eut qu'un effort extraordinaire de raison qui m'empêcha de me livrer aux cris et aux pleurs. La crainte de communiquer mon désespoir à Manon me fit affecter de prendre un visage tranquille. Je lui dis, en badinant, que je me vengerais sur quelque dupe à l'hôtel de Transylvanie. Cependant, elle me sembla si sensible à notre malheur, que sa tristesse eut bien plus de force pour m'affliger, que ma joie feinte n'en avait eu pour l'empêcher d'être trop abattue. Nous sommes perdus! me dit-elle, les larmes aux yeux. Je m'efforçai en vain de la consoler par mes caresses; mes propres pleurs trahissaient mon désespoir et ma consternation. En effet, nous étions ruinés si absolument, qu'il ne nous restait pas une chemise.

Je pris le parti d'envoyer chercher sur-le-champ M. Lescaut. Il me conseilla d'aller, à l'heure même, chez M. le Lieutenant de Police et M. le Grand Prévôt de Paris. J'y allai, mais ce fut pour mon plus grand malheur; car outre que cette démarche et celles que je fis faire à ces deux officiers de justice ne produisirent rien, je donnai le temps à Lescaut d'entretenir sa sœur, et de lui inspirer, pendant mon absence, une horrible résolution. Il lui parla de M. de G... M..., vieux voluptueux, qui payait prodiguement les plaisirs, et il lui fit envisager tant d'avantages à se mettre à sa solde, que, troublée comme elle était par notre disgrâce, elle entra dans tout ce qu'il entreprit de lui persuader. Cet honorable marché fut conclu avant mon retour, et l'exécution remise au lendemain, après que Lescaut aurait prévenu M. de G... M... Je le trouvai qui m'attendait au logis; mais Manon s'était couchée dans son appartement, et elle avait donné

ordre à son laquais de me dire qu'ayant besoin d'un
peu de repos, elle me priait de la laisser seule pendant
cette nuit. Lescaut me quitta, après m'avoir offert
quelques pistoles que j'acceptai. Il était près de quatre
heures, lorsque je me mis au lit, et m'y étant encore
occupé longtemps des moyens de rétablir ma fortune,
je m'endormis si tard, que je ne pus me réveiller que
vers onze heures ou midi. Je me levai promptement
pour aller m'informer de la santé de Manon; on me
dit qu'elle était sortie, une heure auparavant, avec
son frère, qui l'était venu prendre dans un carrosse de
louage. Quoiqu'une telle partie, faite avec Lescaut,
me parût mystérieuse, je me fis violence pour sus-
pendre mes soupçons. Je laissai couler quelques
heures, que je passai à lire. Enfin, n'étant plus le maître
de mon inquiétude, je me promenai à grands pas
dans nos appartements. J'aperçus, dans celui de
Manon, une lettre cachetée qui était sur sa table.
L'adresse était à moi, et l'écriture de sa main. Je l'ouvris avec un frisson mortel; elle était dans ces termes :

la lettre de Manon

Je te jure, mon cher Chevalier, que tu es l'idole de
mon cœur, et qu'il n'y a que toi au monde que je puisse
aimer de la façon dont je t'aime; mais ne vois-tu pas,
ma pauvre chère âme, que, dans l'état où nous sommes
réduits, c'est une sotte vertu que la fidélité? Crois-tu
qu'on puisse être bien tendre lorsqu'on manque de
pain? La faim me causerait quelque méprise fatale;
je rendrais quelque jour le dernier soupir, en croyant
en pousser un d'amour. Je t'adore, compte là-dessus;
mais laisse-moi, pour quelque temps, le ménagement
de notre fortune. Malheur à qui va tomber dans mes
filets! Je travaille pour rendre mon Chevalier riche
et heureux. Mon frère t'apprendra des nouvelles de
ta Manon, et qu'elle a pleuré de la nécessité de te
quitter.

Je demeurai, après cette lecture, dans un état qui
me serait difficile à décrire car j'ignore encore aujour-
d'hui par quelle espèce de sentiments je fus alors agité.
Ce fut une de ces situations uniques auxquelles on n'a
rien éprouvé qui soit semblable. On ne saurait les
expliquer aux autres, parce qu'ils n'en ont pas l'idée;

et l'on a peine à se les bien démêler à soi-même, parce
qu'étant seules de leur espèce, cela ne se lie à rien dans
la mémoire, et ne peut même être rapproché d'aucun
sentiment connu. Cependant, de quelque nature que
fussent les miens, il est certain qu'il devait y entrer
de la douleur, du dépit, de la jalousie et de la honte.
Heureux s'il n'y fût pas entré encore plus d'amour !
Elle m'aime, je le veux croire ; mais ne faudrait-il pas,
m'écriai-je, qu'elle fût un monstre pour me haïr ?
Quels droits eut-on jamais sur un cœur que je n'aie
pas sur le sien ? Que me reste-t-il à faire pour elle,
après tout ce que je lui ai sacrifié ? Cependant elle
m'abandonne ! et l'ingrate se croit à couvert de mes
reproches en me disant qu'elle ne cesse pas de m'aimer !
Elle appréhende la faim. Dieu d'amour ! quelle grossièreté de sentiments ! et que c'est répondre mal à ma
délicatesse ! Je ne l'ai pas appréhendée, moi qui m'y
expose si volontiers pour elle en renonçant à ma fortune
et aux douceurs de la maison de mon père ; moi qui
me suis retranché jusqu'au nécessaire pour satisfaire
ses petites humeurs et ses caprices. Elle m'adore,
dit-elle. Si tu m'adorais, ingrate, je sais bien de qui tu
aurais pris des conseils ; tu ne m'aurais pas quitté, du
moins, sans me dire adieu. C'est à moi qu'il faut
demander quelles peines cruelles on sent à se séparer
de ce qu'on adore. Il faudrait avoir perdu l'esprit
pour s'y exposer volontairement.

Mes plaintes furent interrompues par une visite à
laquelle je ne m'attendais pas. Ce fut celle de Lescaut.
Bourreau ! lui dis-je en mettant l'épée à la main, où
est Manon ? qu'en as-tu fait ? Ce mouvement l'effraya ;
il me répondit que, si c'était ainsi que je le recevais
lorsqu'il venait me rendre compte du service le plus
considérable qu'il eût pu me rendre, il allait se retirer,
et ne remettrait jamais le pied chez moi. Je courus à
la porte de la chambre, que je fermai soigneusement.
Ne t'imagine pas, lui dis-je en me tournant vers lui,
que tu puisses me prendre encore une fois pour dupe
et me tromper par des fables. Il faut défendre ta vie,
ou me faire retrouver Manon. Là ! que vous êtes vif !
repartit-il ; c'est l'unique sujet qui m'amène. Je viens

vous annoncer un bonheur auquel vous ne pensez
pas, et pour lequel vous reconnaîtrez peut-être que
vous m'avez quelque obligation. Je voulus être éclairci
sur-le-champ.

Il me raconta que Manon, ne pouvant soutenir la
crainte de la misère, et surtout l'idée d'être obligée
tout d'un coup à la réforme de notre équipage, l'avait
prié de lui procurer la connaissance de M. de G... M...,
qui passait pour un homme généreux. Il n'eut garde
de me dire que le conseil était venu de lui, ni qu'il eût
préparé les voies, avant que de l'y conduire. Je l'y ai
menée ce matin, continua-t-il, et cet honnête homme
a été si charmé de son mérite, qu'il l'a invitée d'abord
à lui tenir compagnie à sa maison de campagne, où il
est allé passer quelques jours. Moi, ajouta Lescaut,
qui ai pénétré tout d'un coup de quel avantage cela
pouvait être pour vous, je lui ai fait entendre adroitement que Manon avait essuyé des pertes considérables,
et j'ai tellement piqué sa générosité, qu'il a commencé
par lui faire un présent de deux cents pistoles. Je lui ai
dit que cela était honnête pour le présent, mais que
l'avenir amènerait à ma sœur de grands besoins;
qu'elle s'était chargée, d'ailleurs, du soin d'un jeune
frère, qui nous était resté sur les bras après la mort
de nos père et mère, et que, s'il la croyait digne de
son estime, il ne la laisserait pas souffrir dans ce
pauvre enfant qu'elle regardait comme la moitié
d'elle-même. Ce récit n'a pas manqué de l'attendrir.
Il s'est engagé à louer une maison commode, pour
vous et pour Manon, car c'est vous-même qui êtes ce
pauvre petit frère orphelin. Il a promis de vous meu-
bler proprement, et de vous fournir, tous les mois
quatre cents bonnes livres, qui en feront, si je compte
bien, quatre mille huit cents à la fin de chaque année.
Il a laissé ordre à son intendant, avant que de partir
pour sa campagne, de chercher une maison, et de la
tenir prête pour son retour. Vous reverrez alors Manon,
qui m'a chargé de vous embrasser mille fois pour
elle, et de vous assurer qu'elle vous aime plus que
jamais.

Je m'assis, en rêvant à cette bizarre disposition de

mon sort. Je me trouvai dans un partage de sentiments, et par conséquent dans une incertitude si
difficile à terminer, que je demeurai longtemps sans
répondre à quantité de questions que Lescaut me
faisait l'une sur l'autre. Ce fut, dans ce moment, que
l'honneur et la vertu me firent sentir encore les pointes
du remords, et que je jetai les yeux, en soupirant, vers
Amiens, vers la maison de mon père, vers Saint-
Sulpice et vers tous les lieux où j'avais vécu dans l'innocence. Par quel immense espace n'étais-je pas séparé
de cet heureux état! Je ne le voyais plus que de loin,
comme une ombre qui s'attirait encore mes regrets
et mes désirs, mais trop faible pour exciter mes
efforts. Par quelle fatalité, disais-je, suis-je devenu si
criminel ? L'amour est une passion innocente; comment s'est-il changé, pour moi, en une source de
misères et de désordres ? Qui m'empêchait de vivre
tranquille et vertueux avec Manon ? Pourquoi ne
l'épousais-je point, avant que d'obtenir rien de son
amour ? Mon père, qui m'aimait si tendrement, n'y
aurait-il pas consenti si je l'en eusse pressé avec des
instances légitimes ? Ah! mon père l'aurait chérie
lui-même, comme une fille charmante, trop digne d'être
la femme de son fils; je serais heureux avec l'amour
de Manon, avec l'affection de mon père, avec l'estime
des honnêtes gens, avec les biens de la fortune et la
tranquillité de la vertu. Revers funeste! Quel est
l'infâme personnage qu'on vient ici me proposer ?
Quoi! j'irai partager... Mais y a-t-il à balancer, si
c'est Manon qui l'a réglé, et si je la perds sans cette
complaisance ? Monsieur Lescaut, m'écriai-je en fer-
mant les yeux, comme pour écarter de si chagrinantes
réflexions, si vous avez eu dessein de me servir, je
vous rends grâces. Vous auriez pu prendre une voie
plus honnête; mais c'est une chose finie, n'est-ce pas ?
Ne pensons donc plus qu'à profiter de vos soins et à
remplir votre projet. Lescaut, à qui ma colère, suivie
d'un fort long silence, avait causé de l'embarras, fut
ravi de me voir prendre un parti tout différent de celui
qu'il avait appréhendé sans doute; il n'était rien moins
que brave, et j'en eus de meilleures preuves dans la

suite. Oui, oui, se hâta-t-il de me répondre, c'est un
fort bon service que je vous ai rendu, et vous verrez
que nous en tirerons plus d'avantage que vous ne vous
y attendez. Nous concertâmes de quelle manière nous
pourrions prévenir les défiances que M. de G... M...
pouvait concevoir de notre fraternité, en me voyant
plus grand et un peu plus âgé peut-être qu'il ne se
l'imaginait. Nous ne trouvâmes point d'autre moyen,
que de prendre devant lui un air simple et provincial,
et de lui faire croire que j'étais dans le dessein d'entrer
dans l'état ecclésiastique, et que j'allais pour cela
tous les jours au collège. Nous résolûmes aussi que
je me mettrais fort mal, la première fois que je serais
admis à l'honneur de le saluer. Il revint à la ville trois
ou quatre jours après; il conduisit lui-même Manon
dans la maison que son intendant avait eu soin de
préparer. Elle fit avertir aussitôt Lescaut de son retour;
et celui-ci m'en ayant donné avis, nous nous rendîmes
tous deux chez elle. Le vieil amant en était déjà sorti.

Malgré la résignation avec laquelle je m'étais soumis
à ses volontés, je ne pus réprimer le murmure de mon
cœur en la revoyant. Je lui parus triste et languissant.
La joie de la retrouver ne l'emportait pas tout à fait
sur le chagrin de son infidélité. Elle, au contraire,
paraissait transportée du plaisir de me revoir. Elle me
fit des reproches de ma froideur. Je ne pus m'empêcher
de laisser échapper les noms de perfide et d'infidèle,
que j'accompagnai d'autant de soupirs. Elle me railla
d'abord de ma simplicité; mais, lorsqu'elle vit mes
regards s'attacher toujours tristement sur elle, et la
peine que j'avais à digérer un changement si contraire
à mon humeur et à mes désirs, elle passa seule dans
son cabinet. Je la suivis un moment après. Je l'y trouvai
tout en pleurs; je lui demandai ce qui les causait. Il
t'est bien aisé de le voir, me dit-elle, comment veux-tu
que je vive, si ma vue n'est plus propre qu'à te causer
un air sombre et chagrin ? Tu ne m'as pas fait une
seule caresse, depuis une heure que tu es ici, et tu as
reçu les miennes avec la majesté du Grand Turc au
Sérail.

Ecoutez, Manon, lui répondis-je en l'embrassant, je

ne puis vous cacher que j'ai le cœur mortellement
affligé. Je ne parle point à présent des alarmes où
votre fuite imprévue m'a jeté, ni de la cruauté que vous
avez eue de m'abandonner sans un mot de consolation,
après avoir passé la nuit dans un autre lit que moi.
Le charme de votre présence m'en ferait bien oublier
davantage. Mais croyez-vous que je puisse penser sans
soupirs, et même sans larmes, continuai-je en en versant quelques-unes, à la triste et malheureuse vie
que vous voulez que je mène dans cette maison ? Laissons ma naissance et mon honneur à part : ce ne sont
plus des raisons si faibles qui doivent entrer en concur-
rence avec un amour tel que le mien ; mais cet amour
même, ne vous imaginez-vous pas qu'il gémit de se
voir si mal récompensé, ou plutôt traité si cruellement
par une ingrate et dure maîtresse ?... Elle m'interrompit : tenez, dit-elle, mon Chevalier, il est inutile de me
tourmenter par des reproches qui me percent le cœur,
lorsqu'ils viennent de vous. Je vois ce qui vous blesse.
J'avais espéré que vous consentiriez au projet que
j'avais fait pour rétablir un peu notre fortune, et c'était
pour ménager votre délicatesse que j'avais commencé
à l'exécuter sans votre participation ; mais j'y renonce,
puisque vous ne l'approuvez pas. Elle ajouta qu'elle
ne me demandait qu'un peu de complaisance, pour
le reste du jour ; qu'elle avait déjà reçu deux cents
pistoles de son vieil amant, et qu'il lui avait promis de
lui apporter le soir un beau collier de perles, avec
d'autres bijoux, et par-dessus cela, la moitié de la
pension annuelle qu'il lui avait promise. Laissez-moi
seulement le temps, me dit-elle, de recevoir ses présents ; je vous jure qu'il ne pourra se vanter des avantages que je lui ai donnés sur moi, car je l'ai remis
jusqu'à présent à la ville. Il est vrai qu'il m'a baisé
plus d'un million de fois les mains ; il est juste qu'il
paye ce plaisir, et ce ne sera point trop que cinq ou
six mille francs, en proportionnant le prix à ses
richesses et à son âge.

Sa résolution me fut beaucoup plus agréable que
l'espérance des cinq mille livres. J'eus lieu de reconnaître que mon cœur n'avait point encore perdu tout

sentiment d'honneur, puisqu'il était si satisfait d'échapper à l'infamie. Mais j'étais né pour les courtes joies et les longues douleurs. La Fortune ne me délivra d'un précipice que pour me faire tomber dans un autre. Lorsque j'eus marqué à Manon, par mille caresses, combien je me croyais heureux de son changement, je lui dis qu'il fallait en instruire M. Lescaut, afin que nos mesures se prissent de concert. Il en murmura d'abord; mais les quatre ou cinq mille livres d'argent comptant le firent entrer gaîment dans nos vues. Il fut donc réglé que nous nous trouverions tous à souper avec M. de G... M..., et cela pour deux raisons : l'une, pour nous donner le plaisir d'une scène agréable en me faisant passer pour un écolier, frère de Manon; l'autre, pour empêcher ce vieux libertin de s'émanciper trop avec ma maîtresse, par le droit qu'il croirait s'être acquis en payant si libéralement d'avance. Nous devions nous retirer, Lescaut et moi, lorsqu'il monterait à la chambre où il comptait de passer la nuit; et Manon, au lieu de le suivre, nous promit de sortir, et de la venir passer avec moi. Lescaut se chargea du soin d'avoir exactement un carrosse à la porte.

L'heure du souper étant venue, M. de G... M... ne se fit pas attendre longtemps. Lescaut était avec sa sœur, dans la salle. Le premier compliment du vieillard fut d'offrir à sa belle un collier, des bracelets et des pendants de perles, qui valaient au moins mille écus. Il lui compta ensuite, en beaux louis d'or, la somme de deux mille quatre cents livres, qui faisaient la moitié de la pension. Il assaisonna son présent de quantité de douceurs dans le goût de la vieille cour. Manon ne put lui refuser quelques baisers; c'était autant de droits qu'elle acquérait sur l'argent qu'il lui mettait entre les mains. J'étais à la porte, où je prêtais l'oreille, en attendant que Lescaut m'avertît d'entrer.

Il vint me prendre par la main, lorsque Manon eut serré l'argent et les bijoux, et me conduisant vers M. de G... M..., il m'ordonna de lui faire la révérence. J'en fis deux ou trois des plus profondes. Excusez, monsieur, lui dit Lescaut, c'est un enfant fort neuf. Il est bien éloigné, comme vous voyez, d'avoir les

airs de Paris; mais nous espérons qu'un peu d'usage
le façonnera. Vous aurez l'honneur de voir ici souvent
monsieur, ajouta-t-il en se tournant vers moi; faites
bien votre profit d'un si bon modèle. Le vieil amant
parut prendre plaisir à me voir. Il me donna deux ou
trois petits coups sur la joue, en me disant que j'étais
un joli garçon, mais qu'il fallait être sur mes gardes à
Paris, où les jeunes gens se laissent aller facilement à la
débauche. Lescaut l'assura que j'étais naturellement
si sage, que je ne parlais que de me faire prêtre, et que
tout mon plaisir était à faire de petites chapelles. Je
lui trouve de l'air de Manon, reprit le vieillard en me
haussant le menton avec la main. Je répondis d'un air
niais : Monsieur, c'est que nos deux chairs se touchent
de bien proche; aussi, j'aime ma sœur Manon comme
un autre moi-même. L'entendez-vous ? dit-il à Lescaut,
il a de l'esprit. C'est dommage que cet enfant-là n'ait
pas un peu plus de monde. Oh! monsieur, repris-je,
j'en ai vu beaucoup chez nous dans les églises, et je
crois bien que j'en trouverai, à Paris, de plus sots que
moi. Voyez, ajouta-t-il, cela est admirable pour un
enfant de province. Toute notre conversation fut à
peu près du même goût, pendant le souper. Manon,
qui était badine, fut sur le point, plusieurs fois, de
gâter tout par ses éclats de rire. Je trouvai l'occasion,
en soupant, de lui raconter sa propre histoire, et le
mauvais sort qui le menaçait. Lescaut et Manon trem-
blaient pendant mon récit, surtout lorsque je faisais
son portrait au naturel; mais l'amour-propre l'empêcha de s'y reconnaître, et je l'achevai si adroitement,
qu'il fut le premier à le trouver fort risible. Vous verrez
que ce n'est pas sans raison que je me suis étendu sur
cette ridicule scène. Enfin, l'heure du sommeil étant
arrivée, il parla d'amour et d'impatience. Nous nous
retirâmes, Lescaut et moi; on le conduisit à sa chambre,
et Manon, étant sortie sous prétexte d'un besoin,
nous vint joindre à la porte. Le carrosse, qui nous
attendait trois ou quatre maisons plus bas, s'avança
pour nous recevoir. Nous nous éloignâmes en un
instant du quartier.

Quoiqu'à mes propres yeux cette action fût une

véritable friponnerie, ce n'était pas la plus injuste que
je crusse avoir à me reprocher. J'avais plus de scrupule
sur l'argent que j'avais acquis au jeu. Cependant nous
profitâmes aussi peu de l'un que de l'autre, et le Ciel
permit que la plus légère de ces deux injustices fût la
plus rigoureusement punie.

M. de G... M... ne tarda pas longtemps à s'apercevoir qu'il était dupé. Je ne sais s'il fit, dès le soir
même, quelques démarches pour nous découvrir, mais
il eut assez de crédit pour n'en pas faire longtemps
d'inutiles, et nous assez d'imprudence pour compter
trop sur la grandeur de Paris et sur l'éloignement qu'il
y avait de notre quartier au sien. Non seulement il
fut informé de notre demeure et de nos affaires présentes, mais il apprit aussi qui j'étais, la vie que j'avais
menée à Paris, l'ancienne liaison de Manon avec B...,
la tromperie qu'elle lui avait faite, en un mot, toutes
les parties scandaleuses de notre histoire. Il prit
là-dessus la résolution de nous faire arrêter, et de
nous traiter moins comme des criminels que comme
de fieffés libertins. Nous étions encore au lit, lorsqu'un
exempt de police entra dans notre chambre avec une
demi-douzaine de gardes. Ils se saisirent d'abord de
notre argent, ou plutôt de celui de M. de G... M...,
et nous ayant fait lever brusquement, ils nous condui-
sirent à la porte, où nous trouvâmes deux carrosses,
dans l'un desquels la pauvre Manon fut enlevée sans
explication, et moi traîné dans l'autre à Saint-Lazare.
Il faut avoir éprouvé de tels revers, pour juger du
désespoir qu'ils peuvent causer. Nos gardes eurent la
dureté de ne me pas permettre d'embrasser Manon,
ni de lui dire une parole. J'ignorai longtemps ce qu'elle
était devenue. Ce fut sans doute un bonheur pour
moi de ne l'avoir pas su d'abord, car une catastrophe
si terrible m'aurait fait perdre le sens et, peut-être, la
vie.

Ma malheureuse maîtresse fut donc enlevée, à mes
yeux, et menée dans une retraite que j'ai horreur de
nommer. Quel sort pour une créature toute charmante,
qui eût occupé le premier trône du monde, si tous les
hommes eussent eu mes yeux et mon cœur! On ne l'y

traita pas barbarement; mais elle fut resserrée dans
une étroite prison, seule, et condamnée à remplir tous
les jours une certaine tâche de travail, comme une
condition nécessaire pour obtenir quelque dégoûtante
nourriture. Je n'appris ce triste détail que longtemps
après, lorsque j'eus essuyé moi-même plusieurs mois
d'une rude et ennuyeuse pénitence. Mes gardes ne
m'ayant point averti non plus du lieu où ils avaient
ordre de me conduire, je ne connus mon destin qu'à
la porte de Saint-Lazare. J'aurais préféré la mort,
dans ce moment, à l'état où je me crus prêt de tomber.
J'avais de terribles idées de cette maison. Ma frayeur
augmenta lorsqu'en entrant les gardes visitèrent une
seconde fois mes poches, pour s'assurer qu'il ne me
restait ni armes, ni moyen de défense. Le supérieur
parut à l'instant; il était prévenu sur mon arrivée; il
me salua avec beaucoup de douceur. Mon Père, lui
dis-je, point d'indignités. Je perdrai mille vies avant
que d'en souffrir une. Non, non, monsieur, me répondit-il; vous prendrez une conduite sage, et nous serons
contents l'un de l'autre. Il me pria de monter dans
une chambre haute. Je le suivis sans résistance. Les
archers nous accompagnèrent jusqu'à la porte, et le
supérieur, y étant entré avec moi, leur fit signe de se
retirer.

Je suis donc votre prisonnier! lui dis-je. Eh bien,
mon Père, que prétendez-vous faire de moi? Il me dit
qu'il était charmé de me voir prendre un ton raisonnable; que son devoir serait de travailler à m'inspirer
le goût de la vertu et de la religion, et le mien, de profiter de ses exhortations et de ses conseils; que, pour
peu que je voulusse répondre aux attentions qu'il
aurait pour moi, je ne trouverais que du plaisir dans
ma solitude. Ah! du plaisir! repris-je; vous ne savez
pas, mon Père, l'unique chose qui est capable de m'en
faire goûter! Je le sais, reprit-il; mais j'espère que votre
inclination changera. Sa réponse me fit comprendre
qu'il était instruit de mes aventures, et peut-être de
mon nom. Je le priai de m'éclaircir. Il me dit naturellement qu'on l'avait informé de tout.

Cette connaissance fut le plus rude de tous mes châ-

timents. Je me mis à verser un ruisseau de larmes, avec
toutes les marques d'un affreux désespoir. Je ne pouvais me consoler d'une humiliation qui allait me rendre
la fable de toutes les personnes de ma connaissance, et
la honte de ma famille. Je passai ainsi huit jours dans
le plus profond abattement sans être capable de rien
entendre, ni de m'occuper d'autre chose que de mon
opprobre. Le souvenir même de Manon n'ajoutait rien
à ma douleur. Il n'y entrait, du moins, que comme un
sentiment qui avait précédé cette nouvelle peine, et
la passion dominante de mon âme était la honte et
la confusion. Il y a peu de personnes qui connaissent
la force de ces mouvements particuliers du cœur. Le
commun des hommes n'est sensible qu'à cinq ou six
passions, dans le cercle desquelles leur vie se passe,
et où toutes leurs agitations se réduisent. Otez-leur
l'amour et la haine, le plaisir et la douleur, l'espérance
et la crainte, ils ne sentent plus rien. Mais les personnes
d'un caractère plus noble peuvent être remuées de
mille façons différentes; il semble qu'elles aient plus
de cinq sens, et qu'elles puissent recevoir des idées et
des sensations qui passent les bornes ordinaires de la
nature; et comme elles ont un sentiment de cette
grandeur qui les élève au-dessus du vulgaire, il n'y a
rien dont elles soient plus jalouses. De là vient qu'elles
souffrent si impatiemment le mépris et la risée, et que
la honte est une de leurs plus violentes passions.

J'avais ce triste avantage à Saint-Lazare. Ma tristesse parut si excessive au supérieur, qu'en appréhen-
dant les suites, il crut devoir me traiter avec beaucoup
de douceur et d'indulgence. Il me visitait deux ou trois
fois le jour. Il me prenait souvent avec lui, pour faire
un tour de jardin, et son zèle s'épuisait en exhortations
et en avis salutaires. Je les recevais avec douceur; je
lui marquais même de la reconnaissance. Il en tirait
l'espoir de ma conversion. Vous êtes d'un naturel si
doux et si aimable, me dit-il un jour, que je ne puis
comprendre les désordres dont on vous accuse. Deux
choses m'étonnent : l'une, comment, avec de si bonnes
qualités, vous avez pu vous livrer à l'excès du libertinage; et l'autre que j'admire encore plus, comment

vous recevez si volontiers mes conseils et mes instructions, après avoir vécu plusieurs années dans l'habitude du désordre. Si c'est repentir, vous êtes un exemple
signalé des miséricordes du Ciel; si c'est bonté naturelle, vous avez du moins un excellent fonds de caractère, qui me fait espérer que nous n'aurons pas besoin
de vous retenir ici longtemps, pour vous ramener à
une vie honnête et réglée. Je fus ravi de lui voir cette
opinion de moi. Je résolus de l'augmenter par une
conduite qui pût le satisfaire entièrement, persuadé
que c'était le plus sûr moyen d'abréger ma prison.
Je lui demandai des livres. Il fut surpris que, m'ayant
laissé le choix de ceux que je voulais lire, je me déter-
minai pour quelques auteurs sérieux. Je feignis de
m'appliquer à l'étude avec le dernier attachement, et
je lui donnai ainsi, dans toutes les occasions, des
preuves du changement qu'il désirait.

Cependant il n'était qu'extérieur. Je dois le confesser
à ma honte, je jouai, à Saint-Lazare, un personnage
d'hypocrite. Au lieu d'étudier, quand j'étais seul, je
ne m'occupais qu'à gémir de ma destinée; je maudis-
sais ma prison et la tyrannie qui m'y retenait. Je n'eus
pas plutôt quelque relâche du côté de cet accablement
où m'avait jeté la confusion, que je retombai dans
les tourments de l'amour. L'absence de Manon, l'incertitude de son sort, la crainte de ne la revoir jamais
étaient l'unique objet de mes tristes méditations. Je
me la figurais dans les bras de G... M..., car c'était
la pensée que j'avais eue d'abord; et, loin de m'imaginer qu'il lui eût fait le même traitement qu'à moi,
j'étais persuadé qu'il ne m'avait fait éloigner que pour
la posséder tranquillement. Je passais ainsi des jours
et des nuits dont la longueur me paraissait éternelle.
Je n'avais d'espérance que dans le succès de mon
hypocrisie. J'observais soigneusement le visage et les
discours du supérieur, pour m'assurer de ce qu'il pen-
sait de moi, et je me faisais une étude de lui plaire,
comme à l'arbitre de ma destinée. Il me fut aisé de
reconnaître que j'étais parfaitement dans ses bonnes
grâces. Je ne doutai plus qu'il ne fût disposé à me rendre
service. Je pris un jour la hardiesse de lui demander

si c'était de lui que mon élargissement dépendait. Il me
dit qu'il n'en était pas absolument le maître, mais que,
sur son témoignage, il espérait que M. de G... M...,
à la sollicitation duquel M. le Lieutenant général de
Police m'avait fait renfermer, consentirait à me rendre
la liberté. Puis-je me flatter, repris-je doucement, que
deux mois de prison, que j'ai déjà essuyés, lui paraîtront une expiation suffisante ? Il me promit de lui en
parler, si je le souhaitais. Je le priai instamment de
me rendre ce bon office. Il m'apprit, deux jours après,
que G... M... avait été si touché du bien qu'il avait
entendu de moi, que non seulement il paraissait être
dans le dessein de me laisser voir le jour, mais qu'il
avait même marqué beaucoup d'envie de me connaître
plus particulièrement, et qu'il se proposait de me rendre
une visite dans ma prison. Quoique sa présence ne
pût m'être agréable, je la regardai comme un ache-
minement prochain à ma liberté.

Il vint effectivement à Saint-Lazare. Je lui trouvai
l'air plus grave et moins sot qu'il ne l'avait eu dans la
maison de Manon. Il me tint quelques discours de
bon sens sur ma mauvaise conduite. Il ajouta, pour
justifier apparemment ses propres désordres, qu'il
était permis à la faiblesse des hommes de se procurer
certains plaisirs que la nature exige, mais que la friponnerie et les artifices honteux méritaient d'être
punis. Je l'écoutai avec un air de soumission dont
il parut satisfait. Je ne m'offensai pas même de lui
entendre lâcher quelques railleries sur ma fraternité
avec Lescaut et Manon, et sur les petites chapelles
dont il supposait, me dit-il, que j'avais dû faire un
grand nombre à Saint-Lazare, puisque je trouvais tant
de plaisir à cette pieuse occupation. Mais il lui échappa,
malheureusement pour lui et pour moi-même, de me
dire que Manon en aurait fait aussi, sans doute, de
fort jolies à l'Hôpital. Malgré le frémissement que le
nom d'Hôpital me causa, j'eus encore le pouvoir de
le prier, avec douceur, de s'expliquer. Hé oui! reprit-
il, il y a deux mois qu'elle apprend la sagesse à l'Hôpital général, et je souhaite qu'elle en ait tiré autant
de profit que vous à Saint-Lazare.

Quand j'aurais eu une prison éternelle, ou la mort même présente à mes yeux, je n'aurais pas été le maître de mon transport, à cette affreuse nouvelle. Je me jetai sur lui avec une si furieuse rage que j'en perdis la moitié de mes forces. J'en eus assez néanmoins pour le renverser par terre, et pour le prendre à la gorge. Je l'étranglais, lorsque le bruit de sa chute, et quelques cris aigus, que je lui laissais à peine la liberté de pousser, attirèrent le supérieur et plusieurs religieux dans ma chambre. On le délivra de mes mains. J'avais presque perdu moi-même la force et la respiration. O Dieu! m'écriai-je, en poussant mille soupirs; justice du Ciel! faut-il que je vive un moment, après une telle infamie ? Je voulus me jeter encore sur le barbare qui venait de m'assassiner. On m'arrêta. Mon désespoir, mes cris et mes larmes passaient toute imagination. Je fis des choses si étonnantes, que tous les assistants, qui en ignoraient la cause, se regardaient les uns les autres avec autant de frayeur que de surprise. M. de G... M... rajustait pendant ce temps-là sa perruque et sa cravate, et dans le dépit d'avoir été si maltraité, il ordonnait au supérieur de me resserrer plus étroitement que jamais, et de me punir par tous les châtiments qu'on sait être propres à Saint-Lazare. Non, monsieur, lui dit le supérieur; ce n'est point avec une personne de la naissance de M. le Chevalier que nous en usons de cette manière. Il est si doux, d'ailleurs, et si honnête, que j'ai peine à comprendre qu'il se soit porté à cet excès sans de fortes raisons. Cette réponse acheva de déconcerter M. de G... M... Il sortit en disant qu'il saurait faire plier et le supérieur, et moi, et tous ceux qui oseraient lui résister.

Le supérieur, ayant ordonné à ses religieux de le conduire, demeura seul avec moi. Il me conjura de lui apprendre promptement d'où venait ce désordre. O mon Père, lui dis-je, en continuant de pleurer comme un enfant, figurez-vous la plus horrible cruauté, imaginez-vous la plus détestable de toutes les barbaries, c'est l'action que l'indigne G... M... a eu la lâcheté de commettre. Oh! il m'a percé le cœur. Je n'en reviendrai jamais. Je veux vous raconter tout, ajou-

tai-je en sanglotant. Vous êtes bon, vous aurez pitié
de moi. Je lui fis un récit abrégé de la longue et insurmontable passion que j'avais pour Manon, de la
situation florissante de notre fortune avant que nous
eussions été dépouillés par nos propres domestiques,
des offres que G... M... avait faites à ma maîtresse,
de la conclusion de leur marché, et de la manière dont
il avait été rompu. Je lui représentai les choses, à la
vérité, du côté le plus favorable pour nous : Voilà,
continuai-je, de quelle source est venu le zèle de
M. de G... M... pour ma conversion. Il a eu le crédit
de me faire ici renfermer, par un pur motif de vengeance. Je lui pardonne, mais, mon Père, ce n'est pas
tout : il a fait enlever cruellement la plus chère moitié
de moi-même, il l'a fait mettre honteusement à
l'Hôpital, il a eu l'impudence de me l'annoncer
aujourd'hui de sa propre bouche. A l'Hôpital, mon
Père! O Ciel! ma charmante maîtresse, ma chère reine
à l'Hôpital, comme la plus infâme de toutes les créatures! Où trouverai-je assez de force pour ne pas
mourir de douleur et de honte ? Le bon Père, me voyant
dans cet excès d'affliction, entreprit de me consoler.
Il me dit qu'il n'avait jamais compris mon aventure
de la manière dont je la racontais; qu'il avait su, à
la vérité, que je vivais dans le désordre, mais qu'il
s'était figuré que ce qui avait obligé M. de G... M...
d'y prendre intérêt, était quelque liaison d'estime et
d'amitié avec ma famille; qu'il ne s'en était expliqué
à lui-même que sur ce pied; que ce que je venais de
lui apprendre mettrait beaucoup de changement dans
mes affaires, et qu'il ne doutait point que le récit
fidèle qu'il avait dessein d'en faire à M. le Lieutenant
général de Police ne pût contribuer à ma liberté. Il
me demanda ensuite pourquoi je n'avais pas encore
pensé à donner de mes nouvelles à ma famille, puisqu'elle n'avait point eu de part à ma captivité. Je
satisfis à cette objection par quelques raisons prises
de la douleur que j'avais appréhendé de causer à mon
père, et de la honte que j'en aurais ressentie moi-même.
Enfin il me promit d'aller de ce pas chez le Lieutenant
de Police, ne fût-ce, ajouta-t-il, que pour prévenir

quelque chose de pis, de la part de M. de G... M...,
qui est sorti de cette maison fort mal satisfait, et qui
est assez considéré pour se faire redouter.

J'attendis le retour du Père avec toutes les agitations
d'un malheureux qui touche au moment de sa sentence. C'était pour moi un supplice inexprimable de
me représenter Manon à l'Hôpital. Outre l'infamie de
cette demeure, j'ignorais de quelle manière elle y était
traitée, et le souvenir de quelques particularités que
j'avais entendues de cette maison d'horreur renou-
velait à tous moments mes transports. J'étais tellement résolu de la secourir, à quelque prix et par
quelque moyen que ce pût être, que j'aurais mis le
feu à Saint-Lazare, s'il m'eût été impossible d'en sortir autrement. Je réfléchis donc sur les voies que j'avais
à prendre, s'il arrivait que le Lieutenant général de
Police continuât de m'y retenir malgré moi. Je mis
mon industrie à toutes les épreuves; je parcourus toutes
les possibilités. Je ne vis rien qui pût m'assurer d'une
évasion certaine, et je craignis d'être renfermé plus
étroitement si je faisais une tentative malheureuse. Je
me rappelai le nom de quelques amis, de qui je pouvais espérer du secours; mais quel moyen de leur
faire savoir ma situation ? Enfin, je crus avoir formé
un plan si adroit qu'il pourrait réussir, et je remis à
l'arranger encore mieux après le retour du Père supérieur, si l'inutilité de sa démarche me le rendait nécessaire. Il ne tarda point à revenir. Je ne vis pas, sur
son visage, les marques de joie qui accompagnent une
bonne nouvelle. J'ai parlé, me dit-il, à M. le Lieutenant général de Police, mais je lui ai parlé trop tard.
M. de G... M... l'est allé voir en sortant d'ici, et l'a
si fort prévenu contre vous, qu'il était sur le point de
m'envoyer de nouveaux ordres pour vous resserrer
davantage.

Cependant, lorsque je lui ai appris le fond de vos
affaires, il a paru s'adoucir beaucoup, et riant un peu
de l'incontinence du vieux M. de G... M..., il m'a dit
qu'il fallait vous laisser ici six mois pour le satisfaire;
d'autant mieux, a-t-il dit, que cette demeure ne saurait
vous être inutile. Il m'a recommandé de vous traiter

honnêtement, et je vous réponds que vous ne vous plaindrez point de mes manières.

Cette explication du bon supérieur fut assez longue pour me donner le temps de faire une sage réflexion. Je conçus que je m'exposerais à renverser mes desseins si je lui marquais trop d'empressement pour ma liberté. Je lui témoignai, au contraire, que dans la nécessité de demeurer, c'était une douce consolation pour moi d'avoir quelque part à son estime. Je le priai ensuite, sans affectation, de m'accorder une grâce, qui n'était de nulle importance pour personne, et qui servirait beaucoup à ma tranquillité; c'était de faire avertir un de mes amis, un saint ecclésiastique qui demeurait à Saint-Sulpice, que j'étais à Saint-Lazare, et de permettre que je reçusse quelquefois sa visite. Cette faveur me fut accordée sans délibérer. C'était mon ami Tiberge dont il était question; non que j'espérasse de lui les secours nécessaires pour ma liberté, mais je voulais l'y faire servir comme un instrument éloigné, sans qu'il en eût même connaissance. En un mot, voici mon projet : je voulais écrire à Lescaut et le charger, lui et nos amis communs, du soin de me délivrer. La première difficulté était de lui faire tenir ma lettre; ce devait être l'office de Tiberge. Cependant, comme il le connaissait pour le frère de ma maîtresse, je craignais qu'il n'eût peine à se charger de cette commission. Mon dessein était de renfermer ma lettre à Lescaut dans une autre lettre que je devais adresser à un honnête homme de ma connaissance, en le priant de rendre promptement la première à son adresse, et comme il était nécessaire que je visse Lescaut pour nous accorder dans nos mesures, je voulais lui marquer de venir à Saint-Lazare, et de demander à me voir sous le nom de mon frère aîné, qui était venu exprès à Paris pour prendre connaissance de mes affaires. Je remettais à convenir avec lui des moyens qui nous paraîtraient les plus expéditifs et les plus sûrs. Le Père supérieur fit avertir Tiberge du désir que j'avais de l'entretenir. Ce fidèle ami ne m'avait pas tellement perdu de vue qu'il ignorât mon aventure; il savait que j'étais à Saint-Lazare, et peut-être n'avait-il pas

été fâché de cette disgrâce qu'il croyait capable de
me ramener au devoir. Il accourut aussitôt à ma
chambre.

Notre entretien fut plein d'amitié. Il voulut être
informé de mes dispositions. Je lui ouvris mon cœur
sans réserve, excepté sur le dessein de ma fuite. Ce
n'est pas à vos yeux, cher ami, lui dis-je, que je veux
paraître ce que je ne suis point. Si vous avez cru
trouver ici un ami sage et réglé dans ses désirs, un
libertin réveillé par les châtiments du Ciel, en un mot
un cœur dégagé de l'amour et revenu des charmes de
sa Manon, vous avez jugé trop favorablement de moi.
Vous me revoyez tel que vous me laissâtes il y a
quatre mois : toujours tendre, et toujours malheureux
par cette fatale tendresse dans laquelle je ne me lasse
point de chercher mon bonheur.

Il me répondit que l'aveu que je faisais me rendait
inexcusable; qu'on voyait bien des pécheurs qui s'eni-
vraient du faux bonheur du vice jusqu'à le préférer
hautement à celui de la vertu; mais que c'était, du
moins, à des images de bonheur qu'ils s'attachaient,
et qu'ils étaient les dupes de l'apparence; mais que,
de reconnaître, comme je le faisais, que l'objet de mes
attachements n'était propre qu'à me rendre coupable
et malheureux, et de continuer à me précipiter volontairement dans l'infortune et dans le crime, c'était une
contradiction d'idées et de conduite qui ne faisait pas
honneur à ma raison.

Tiberge, repris-je, qu'il vous est aisé de vaincre, lorsqu'on n'oppose rien à vos armes! Laissez-moi raisonner à mon tour. Pouvez-vous prétendre que ce que
vous appelez le bonheur de la vertu soit exempt de
peines, de traverses et d'inquiétudes ? Quel nom don-
nerez-vous à la prison, aux croix, aux supplices et
aux tortures des tyrans ? Direz-vous, comme font les
mystiques, que ce qui tourmente le corps est un bonheur pour l'âme ? Vous n'oseriez le dire; c'est un
paradoxe insoutenable. Ce bonheur, que vous relevez
tant, est donc mêlé de mille peines, ou pour parler
plus juste, ce n'est qu'un tissu de malheurs au travers
desquels on tend à la félicité. Or si la force de l'ima-

gination fait trouver du plaisir dans ces maux mêmes,
parce qu'ils peuvent conduire à un terme heureux
qu'on espère, pourquoi traitez-vous de contradictoire
et d'insensée, dans ma conduite, une disposition toute
semblable ? J'aime Manon; je tends au travers de
mille douleurs à vivre heureux et tranquille auprès
d'elle. La voie par où je marche est malheureuse; mais
l'espérance d'arriver à mon terme y répand toujours
de la douceur, et je me croirai trop bien payé, par un
moment passé avec elle, de tous les chagrins que
j'essuie pour l'obtenir. Toutes choses me paraissent
donc égales de votre côté et du mien; ou s'il y a
quelque différence, elle est encore à mon avantage, car
le bonheur que j'espère est proche, et l'autre est éloigné; le mien est de la nature des peines, c'est-à-dire
sensible au corps, et l'autre est d'une nature inconnue,
qui n'est certaine que par la foi.

Tiberge parut effrayé de ce raisonnement. Il recula
de deux pas, en me disant, de l'air le plus sérieux, que,
non seulement ce que je venais de dire blessait le bon
sens, mais que c'était un malheureux sophisme d'im-
piété et d'irréligion : car cette comparaison, ajouta-t-il,
du terme de vos peines avec celui qui est proposé par
la religion, est une idée des plus libertines et des plus
monstrueuses.

J'avoue, repris-je, qu'elle n'est pas juste; mais
prenez-y garde, ce n'est pas sur elle que porte mon
raisonnement. J'ai eu dessein d'expliquer ce que vous
regardez comme une contradiction, dans la persévé-
rance d'un amour malheureux, et je crois avoir fort
bien prouvé que, si c'en est une, vous ne sauriez vous
en sauver plus que moi. C'est à cet égard seulement
que j'ai traité les choses d'égales, et je soutiens encore
qu'elles le sont. Répondrez-vous que le terme de la
vertu est infiniment supérieur à celui de l'amour ? Qui
refuse d'en convenir ? Mais est-ce de quoi il est question ? Ne s'agit-il pas de la force qu'ils ont, l'un et
l'autre, pour faire supporter les peines ? Jugeons-en par
l'effet. Combien trouve-t-on de déserteurs de la sévère
vertu, et combien en trouverez-vous peu de l'amour ?
Répondrez-vous encore que, s'il y a des peines dans

l'exercice du bien, elles ne sont pas infaillibles et nécessaires ; qu'on ne trouve plus de tyrans ni de croix, et
qu'on voit quantité de personnes vertueuses mener
une vie douce et tranquille ? Je vous dirai de même
qu'il y a des amours paisibles et fortunés, et, ce qui
fait encore une différence qui m'est extrêmement avantageuse, j'ajouterai que l'amour, quoiqu'il trompe
assez souvent, ne promet du moins que des satisfactions
et des joies, au lieu que la religion veut qu'on s'attende
à une pratique triste et mortifiante. Ne vous alarmez
pas, ajoutai-je en voyant son zèle prêt à se chagriner.
L'unique chose que je veux conclure ici, c'est qu'il
n'y a point de plus mauvaise méthode pour dégoûter
un cœur de l'amour, que de lui en décrier les douceurs
et de lui promettre plus de bonheur dans l'exercice de
la vertu. De la manière dont nous sommes faits, il
est certain que notre félicité consiste dans le plaisir ;
je défie qu'on s'en forme une autre idée ; or le cœur
n'a pas besoin de se consulter longtemps pour sentir
que, de tous les plaisirs, les plus doux sont ceux de
l'amour. Il s'aperçoit bientôt qu'on le trompe lorsqu'on lui en promet ailleurs de plus charmants, et
cette tromperie le dispose à se défier des promesses
les plus solides. Prédicateurs, qui voulez me ramener
à la vertu, dites-moi qu'elle est indispensablement
nécessaire, mais ne me déguisez pas qu'elle est sévère
et pénible. Etablissez bien que les délices de l'amour
sont passagères, qu'elles sont défendues, qu'elles seront
suivies par d'éternelles peines, et ce qui fera peut-être
encore plus d'impression sur moi, que, plus elles sont
douces et charmantes, plus le Ciel sera magnifique à
récompenser un si grand sacrifice, mais confessez
qu'avec des cœurs tels que nous les avons, elles sont
ici-bas nos plus parfaites félicités.

Cette fin de mon discours rendit sa bonne humeur
à Tiberge. Il convint qu'il y avait quelque chose de
raisonnable dans mes pensées. La seule objection qu'il
ajouta fut de me demander pourquoi je n'entrais pas
du moins dans mes propres principes, en sacrifiant
mon amour à l'espérance de cette rémunération dont
je me faisais une si grande idée. O cher ami ! lui

répondis-je, c'est ici que je reconnais ma misère et ma
faiblesse. Hélas! oui, c'est mon devoir d'agir comme
je raisonne! mais l'action est-elle en mon pouvoir?
De quels secours n'aurais-je pas besoin pour oublier
les charmes de Manon? Dieu me pardonne, reprit
Tiberge, je pense que voici encore un de nos jansénistes.
Je ne sais ce que je suis, répliquai-je, et je ne vois pas
trop clairement ce qu'il faut être; mais je n'éprouve
que trop la vérité de ce qu'ils disent.

Cette conversation servit du moins à renouveler la
pitié de mon ami. Il comprit qu'il y avait plus de faiblesse que de malignité dans mes désordres. Son amitié
en fut plus disposée, dans la suite, à me donner des
secours, sans lesquels j'aurais péri infailliblement de
misère. Cependant, je ne lui fis pas la moindre ouverture du dessein que j'avais de m'échapper de Saint-
Lazare. Je le priai seulement de se charger de ma lettre.
Je l'avais préparée, avant qu'il fût venu, et je ne manquai point de prétextes pour colorer la nécessité où
j'étais d'écrire. Il eut la fidélité de la porter exactement, et Lescaut reçut, avant la fin du jour, celle qui
était pour lui.

Il me vint voir le lendemain, et il passa heureusement
sous le nom de mon frère. Ma joie fut extrême en
l'apercevant dans ma chambre. J'en fermai la porte
avec soin. Ne perdons pas un seul moment, lui dis-je;
apprenez-moi d'abord des nouvelles de Manon, et
donnez-moi ensuite un bon conseil pour rompre mes
fers. Il m'assura qu'il n'avait pas vu sa sœur depuis
le jour qui avait précédé mon emprisonnement, qu'il
n'avait appris son sort et le mien qu'à force d'informations et de soins; que, s'étant présenté deux ou
trois fois à l'Hôpital, on lui avait refusé la liberté de
lui parler. Malheureux G... M...! m'écriai-je, que tu
me le paieras cher!

Pour ce qui regarde votre délivrance, continua Lescaut, c'est une entreprise moins facile que vous ne
pensez. Nous passâmes hier la soirée, deux de mes
amis et moi, à observer toutes les parties extérieures
de cette maison, et nous jugeâmes que, vos fenêtres
étant sur une cour entourée de bâtiments, comme vous

nous l'aviez marqué, il y aurait bien de la difficulté à
vous tirer de là. Vous êtes d'ailleurs au troisième étage,
et nous ne pouvons introduire ici ni cordes ni échelles.
Je ne vois donc nulle ressource du côté du dehors.
C'est dans la maison même qu'il faudrait imaginer
quelque artifice. Non, repris-je; j'ai tout examiné,
surtout depuis que ma clôture est un peu moins
rigoureuse, par l'indulgence du supérieur. La porte
de ma chambre ne se ferme plus avec la clef, j'ai la
liberté de me promener dans les galeries des religieux;
mais tous les escaliers sont bouchés par des portes
épaisses, qu'on a soin de tenir fermées la nuit et le
jour, de sorte qu'il est impossible que la seule adresse
puisse me sauver. Attendez, repris-je, après avoir un
peu réfléchi sur une idée qui me parut excellente,
pourriez-vous m'apporter un pistolet ? Aisément, me
dit Lescaut; mais voulez-vous tuer quelqu'un ? Je
l'assurai que j'avais si peu dessein de tuer qu'il n'était
pas même nécessaire que le pistolet fût chargé. Appor-
tez-le-moi demain, ajoutai-je, et ne manquez pas de
vous trouver le soir, à onze heures, vis-à-vis de la porte
de cette maison, avec deux ou trois de nos amis.
J'espère que je pourrai vous y rejoindre. Il me pressa
en vain de lui en apprendre davantage. Je lui dis
qu'une entreprise, telle que je la méditais, ne pouvait
paraître raisonnable qu'après avoir réussi. Je le priai
d'abréger sa visite, afin qu'il trouvât plus de facilité
à me revoir le lendemain. Il fut admis avec aussi peu
de peine que la première fois. Son air était grave, il
n'y a personne qui ne l'eût pris pour un homme d'honneur.

Lorsque je me trouvai muni de l'instrument de ma
liberté, je ne doutai presque plus du succès de mon
projet. Il était bizarre et hardi; mais de quoi n'étais-je
pas capable, avec les motifs qui m'animaient ? J'avais
remarqué, depuis qu'il m'était permis de sortir de ma
chambre et de me promener dans les galeries, que le
portier apportait chaque jour au soir les clefs de toutes
les portes au supérieur, et qu'il régnait ensuite un
profond silence dans la maison, qui marquait que
tout le monde était retiré. Je pouvais aller sans obs-

tacle, par une galerie de communication, de ma
chambre à celle de ce Père. Ma résolution était de lui
prendre ses clefs, en l'épouvantant avec mon pistolet
s'il faisait difficulté de me les donner, et de m'en servir
pour gagner la rue. J'en attendis le temps avec impatience. Le portier vint à l'heure ordinaire, c'est-à-dire
un peu après neuf heures. J'en laissai passer encore
une, pour m'assurer que tous les religieux et les
domestiques étaient endormis. Je partis enfin, avec
mon arme et une chandelle allumée. Je frappai d'abord
doucement à la porte du Père, pour l'éveiller sans
bruit. Il m'entendit au second coup, et s'imaginant,
sans doute, que c'était quelque religieux qui se trouvait
mal et qui avait besoin de secours, il se leva pour
m'ouvrir. Il eut, néanmoins, la précaution de demander, au travers de la porte, qui c'était et ce qu'on
voulait de lui. Je fus obligé de me nommer; mais
j'affectai un ton plaintif, pour lui faire comprendre
que je ne me trouvais pas bien. Ah! c'est vous, mon
cher fils, me dit-il, en ouvrant la porte; qu'est-ce donc
qui vous amène si tard? J'entrai dans sa chambre,
et l'ayant tiré à l'autre bout opposé à la porte, je lui
déclarai qu'il m'était impossible de demeurer plus
longtemps à Saint-Lazare; que la nuit était un temps
commode pour sortir sans être aperçu, et que j'attendais de son amitié qu'il consentirait à m'ouvrir les
portes, ou à me prêter ses clefs pour les ouvrir moi-
même.

Ce compliment devait le surprendre. Il demeura
quelque temps à me considérer, sans me répondre.
Comme je n'en avais pas à perdre, je repris la parole
pour lui dire que j'étais fort touché de toutes ses
bontés, mais que, la liberté étant le plus cher de tous les
biens, surtout pour moi à qui on la ravissait injustement, j'étais résolu de me la procurer cette nuit même,
à quelque prix que ce fût; et de peur qu'il ne lui prît
envie d'élever la voix pour appeler du secours, je lui
fis voir une honnête raison de silence, que je tenais
sous mon juste-au-corps. Un pistolet! me dit-il. Quoi!
mon fils, vous voulez m'ôter la vie, pour reconnaître
la considération que j'ai eue pour vous? A Dieu ne

plaise, lui répondis-je. Vous avez trop d'esprit et de
raison pour me mettre dans cette nécessité; mais je
veux être libre, et j'y suis si résolu que, si mon projet
manque par votre faute, c'est fait de vous absolument.
Mais, mon cher fils, reprit-il d'un air pâle et effrayé,
que vous ai-je fait ? quelle raison avez-vous de vouloir
ma mort ? Eh non! répliquai-je avec impatience.
Je n'ai pas dessein de vous tuer, si vous voulez vivre.
Ouvrez-moi la porte, et je suis le meilleur de vos amis.
J'aperçus les clefs qui étaient sur sa table. Je les pris
et je le priai de me suivre, en faisant le moins de bruit
qu'il pourrait. Il fut obligé de s'y résoudre. A mesure
que nous avancions et qu'il ouvrait une porte, il me
répétait avec un soupir : Ah! mon fils, ah! qui l'aurait
cru ? Point de bruit, mon Père, répétais-je de mon côté
à tout moment. Enfin nous arrivâmes à une espèce de
barrière, qui est avant la grande porte de la rue. Je
me croyais déjà libre, et j'étais derrière le Père, avec
ma chandelle dans une main et mon pistolet dans
l'autre. Pendant qu'il s'empressait d'ouvrir, un domestique, qui couchait dans une petite chambre voisine,
entendant le bruit de quelques verrous, se lève et met
la tête à sa porte. Le bon Père le crut apparemment
capable de m'arrêter. Il lui ordonna, avec beaucoup
d'imprudence, de venir à son secours. C'était un
puissant coquin, qui s'élança sur moi sans balancer.
Je ne le marchandai point; je lui lâchai le coup au
milieu de la poitrine. Voilà de quoi vous êtes cause,
mon Père, dis-je assez fièrement à mon guide. Mais
que cela ne vous empêche point d'achever, ajoutai-je
en le poussant vers la dernière porte. Il n'osa refuser de
l'ouvrir. Je sortis heureusement et je trouvai, à quatre
pas, Lescaut qui m'attendait avec deux amis, suivant
sa promesse.

   Nous nous éloignâmes. Lescaut me demanda s'il
n'avait pas entendu tirer un pistolet. C'est votre faute,
lui dis-je; pourquoi me l'apportiez-vous chargé ?
Cependant je le remerciai d'avoir eu cette précaution,
sans laquelle j'étais sans doute à Saint-Lazare pour
longtemps. Nous allâmes passer la nuit chez un trai-
teur, où je me remis un peu de la mauvaise chère que

j'avais faite depuis près de trois mois. Je ne pus néanmoins m'y livrer au plaisir. Je souffrais mortellement
dans Manon. Il faut la délivrer, dis-je à mes trois amis.
Je n'ai souhaité la liberté que dans cette vue. Je vous
demande le secours de votre adresse; pour moi, j'y
emploierai jusqu'à ma vie. Lescaut, qui ne manquait
pas d'esprit et de prudence, me représenta qu'il fallait
aller bride en main; que mon évasion de Saint-Lazare,
et le malheur qui m'était arrivé en sortant, causeraient
infailliblement du bruit; que le Lieutenant général de
Police me ferait chercher, et qu'il avait les bras longs;
enfin, que si je ne voulais pas être exposé à quelque
chose de pis que S[aint]-Lazare, il était à propos de
me tenir couvert et renfermé pendant quelques jours,
pour laisser au premier feu de mes ennemis le temps de
s'éteindre. Son conseil était sage, mais il aurait fallu
l'être aussi pour le suivre. Tant de lenteur et de
ménagement ne s'accordait pas avec ma passion. Toute
ma complaisance se réduisit à lui promettre que je
passerais le jour suivant à dormir. Il m'enferma dans
sa chambre, où je demeurai jusqu'au soir.

J'employai une partie de ce temps à former des
projets et des expédients pour secourir Manon. J'étais
bien persuadé que sa prison était encore plus impéné-
trable que n'avait été la mienne. Il n'était pas question
de force et de violence, il fallait de l'artifice; mais la
déesse même de l'invention n'aurait pas su par où
commencer. J'y vis si peu de jour, que je remis à
considérer mieux les choses lorsque j'aurais pris
quelques informations sur l'arrangement intérieur de
l'Hôpital.

Aussitôt que la nuit m'eut rendu la liberté, je priai
Lescaut de m'accompagner. Nous liâmes conversation
avec un des portiers, qui nous parut homme de bon
sens. Je feignis d'être un étranger qui avait entendu
parler avec admiration de l'Hôpital général, et de
l'ordre qui s'y observe. Je l'interrogeai sur les plus
minces détails, et de circonstances en circonstances,
nous tombâmes sur les administrateurs, dont je le
priai de m'apprendre les noms et les qualités. Les
réponses qu'il me fit sur ce dernier article me firent

naître une pensée dont je m'applaudis aussitôt, et
que je ne tardai point à mettre en œuvre. Je lui demandai, comme une chose essentielle à mon dessein, si ces
messieurs avaient des enfants. Il me dit qu'il ne pouvait pas m'en rendre un compte certain, mais que,
pour M. de T., qui était un des principaux, il lui
connaissait un fils en âge d'être marié, qui était venu
plusieurs fois à l'Hôpital avec son père. Cette assurance me suffisait. Je rompis presque aussitôt notre
entretien, et je fis part à Lescaut, en retournant chez
lui, du dessein que j'avais conçu. Je m'imagine, lui
dis-je, que M. de T... le fils, qui est riche et de bonne
famille, est dans un certain goût de plaisirs, comme la
plupart des jeunes gens de son âge. Il ne saurait être
ennemi des femmes, ni ridicule au point de refuser ses
services pour une affaire d'amour. J'ai formé le dessein
de l'intéresser à la liberté de Manon. S'il est honnête
homme, et qu'il ait des sentiments, il nous accordera
son secours par générosité. S'il n'est point capable
d'être conduit par ce motif, il fera du moins quelque
chose pour une fille aimable, ne fût-ce que par l'espérance d'avoir part à ses faveurs. Je ne veux pas différer
de le voir, ajoutai-je, plus longtemps que jusqu'à
demain. Je me sens si consolé par ce projet, que j'en
tire un bon augure. Lescaut convint lui-même qu'il y
avait de la vraisemblance dans mes idées, et que nous
pouvions espérer quelque chose par cette voie. J'en
passai la nuit moins tristement.

Le matin étant venu, je m'habillai le plus proprement
qu'il me fût possible, dans l'état d'indigence où j'étais,
et je me fis conduire dans un fiacre à la maison de
M. de T... Il fut surpris de recevoir la visite d'un
inconnu. J'augurai bien de sa physionomie et de ses
civilités. Je m'expliquai naturellement avec lui, et
pour échauffer ses sentiments naturels, je lui parlai de
ma passion et du mérite de ma maîtresse comme de
deux choses qui ne pouvaient être égalées que l'une
par l'autre. Il me dit que, quoiqu'il n'eût jamais vu
Manon, il avait entendu parler d'elle, du moins s'il
s'agissait de celle qui avait été la maîtresse du vieux
G... M... Je ne doutai point qu'il ne fût informé de la

part que j'avais eue à cette aventure, et pour le gagner
de plus en plus, en me faisant un mérite de ma confiance,
je lui racontai le détail de tout ce qui était arrivé à
Manon et à moi. Vous voyez, monsieur, continuai-je,
que l'intérêt de ma vie et celui de mon cœur sont
maintenant entre vos mains. L'un ne m'est pas plus
cher que l'autre. Je n'ai point de réserve avec vous,
parce que je suis informé de votre générosité, et que
la ressemblance de nos âges me fait espérer qu'il s'en
trouvera quelqu'une dans nos inclinations. Il parut
fort sensible à cette marque d'ouverture et de candeur.
Sa réponse fut celle d'un homme qui a du monde et
des sentiments; ce que le monde ne donne pas toujours
et qu'il fait perdre souvent. Il me dit qu'il mettait ma
visite au rang de ses bonnes fortunes, qu'il regarderait
mon amitié comme une de ses plus heureuses acquisitions, et qu'il s'efforcerait de la mériter par l'ardeur
de ses services. Il ne promit pas de me rendre Manon,
parce qu'il n'avait, me dit-il, qu'un crédit médiocre
et mal assuré; mais il m'offrit de me procurer le plaisir
de la voir, et de faire tout ce qui serait en sa puissance
pour la remettre entre mes bras. Je fus plus satisfait
de cette incertitude de son crédit que je ne l'aurais été
d'une pleine assurance de remplir tous mes désirs. Je
trouvai, dans la modération de ses offres, une marque
de franchise dont je fus charmé. En un mot, je me
promis tout de ses bons offices. La seule promesse
de me faire voir Manon m'aurait fait tout entreprendre
pour lui. Je lui marquai quelque chose de ces sentiments, d'une manière qui le persuada aussi que je
n'étais pas d'un mauvais naturel. Nous nous embrassâmes avec tendresse, et nous devînmes amis, sans
autre raison que la bonté de nos cœurs et une simple
disposition qui porte un homme tendre et généreux
à aimer un autre homme qui lui ressemble. Il poussa
les marques de son estime bien plus loin, car, ayant
combiné mes aventures, et jugeant qu'en sortant de
S[aint]-Lazare je ne devais pas me trouver à mon aise,
il m'offrit sa bourse, et il me pressa de l'accepter. Je
ne l'acceptai point; mais je lui dis : C'est trop, mon
cher Monsieur. Si, avec tant de bonté et d'amitié,

vous me faites revoir ma chère Manon, je vous suis
attaché pour toute ma vie. Si vous me rendez tout à
fait cette chère créature, je ne croirai pas être quitte
en versant tout mon sang pour vous servir.

Nous ne nous séparâmes qu'après être convenus du
temps et du lieu où nous devions nous retrouver. Il eut
la complaisance de ne pas me remettre plus loin que
l'après-midi du même jour. Je l'attendis dans un café,
où il vint me rejoindre vers les quatre heures, et nous
prîmes ensemble le chemin de l'Hôpital. Mes genoux
étaient tremblants en traversant les cours. Puissance
d'amour! disais-je, je reverrai donc l'idole de mon
cœur, l'objet de tant de pleurs et d'inquiétudes! Ciel!
conservez-moi assez de vie pour aller jusqu'à elle,
et disposez après cela de ma fortune et de mes jours;
je n'ai plus d'autre grâce à vous demander.

M. de T... parla à quelques concierges de la maison
qui s'empressèrent de lui offrir tout ce qui dépendait
d'eux pour sa satisfaction. Il se fit montrer le quartier
où Manon avait sa chambre, et l'on nous y conduisit
avec une clef d'une grandeur effroyable, qui servit à
ouvrir sa porte. Je demandai au valet qui nous menait,
et qui était celui qu'on avait chargé du soin de la servir,
de quelle manière elle avait passé le temps dans cette
demeure. Il nous dit que c'était une douceur angélique;
qu'il n'avait jamais reçu d'elle un mot de dureté;
qu'elle avait versé continuellement des larmes pendant
les six premières semaines après son arrivée, mais que,
depuis quelque temps, elle paraissait prendre son
malheur avec plus de patience, et qu'elle était occupée
à coudre du matin jusqu'au soir, à la réserve de
quelques heures qu'elle employait à la lecture. Je lui
demandai encore si elle avait été entretenue proprement. Il m'assura que le nécessaire, du moins, ne lui
avait jamais manqué.

Nous approchâmes de sa porte. Mon cœur battait
violemment. Je dis à M. de T... : Entrez seul et préve-
nez-la sur ma visite, car j'appréhende qu'elle ne soit
trop saisie en me voyant tout d'un coup. La porte
nous fut ouverte. Je demeurai dans la galerie. J'entendis néanmoins leurs discours. Il lui dit qu'il venait lui

apporter un peu de consolation, qu'il était de mes
amis, et qu'il prenait beaucoup d'intérêt à notre
bonheur. Elle lui demanda, avec le plus vif empressement, si elle apprendrait de lui ce que j'étais devenu.
Il lui promit de m'amener à ses pieds, aussi tendre,
aussi fidèle qu'elle pouvait le désirer. Quand ? reprit-
elle. Aujourd'hui même, lui dit-il ; ce bienheureux
moment ne tardera point ; il va paraître à l'instant si
vous le souhaitez. Elle comprit que j'étais à la porte.
J'entrai, lorsqu'elle y accourait avec précipitation.
Nous nous embrassâmes avec cette effusion de tendresse qu'une absence de trois mois fait trouver si
charmante à de parfaits amants. Nos soupirs, nos
exclamations interrompues, mille noms d'amour répé-
tés languissamment de part et d'autre, formèrent,
pendant un quart d'heure, une scène qui attendrissait
M. de T... Je vous porte envie, me dit-il, en nous faisant asseoir ; il n'y a point de sort glorieux auquel je ne
préférasse une maîtresse si belle et si passionnée. Aussi
mépriserais-je tous les empires du monde, lui répondis-je, pour m'assurer le bonheur d'être aimé d'elle.

Tout le reste d'une conversation si désirée ne pouvait manquer d'être infiniment tendre. La pauvre
Manon me raconta ses aventures, et je lui appris les
miennes. Nous pleurâmes amèrement en nous entre-
tenant de l'état où elle était, et de celui d'où je ne faisais que sortir. M. de T... nous consola par de nouvelles promesses de s'employer ardemment pour finir
nos misères. Il nous conseilla de ne pas rendre cette
première entrevue trop longue, pour lui donner plus
de facilité à nous en procurer d'autres. Il eut beaucoup
de peine à nous faire goûter ce conseil ; Manon, surtout, ne pouvait se résoudre à me laisser partir. Elle
me fit remettre cent fois sur ma chaise ; elle me retenait
par les habits et par les mains. Hélas! dans quel lieu
me laissez-vous! disait-elle. Qui peut m'assurer de
vous revoir ? M. de T... lui promit de la venir voir
souvent avec moi. Pour le lieu, ajouta-t-il agréablement, il ne faut plus l'appeler l'Hôpital ; c'est Ver-
sailles, depuis qu'une personne qui mérite l'empire
de tous les cœurs y est renfermée.

Je fis, en sortant, quelques libéralités au valet qui la
servait, pour l'engager à lui rendre ses soins avec zèle.
Ce garçon avait l'âme moins basse et moins dure que
ses pareils. Il avait été témoin de notre entrevue; ce
tendre spectacle l'avait touché. Un louis d'or, dont je
lui fis présent, acheva de me l'attacher. Il me prit à
l'écart, en descendant dans les cours. Monsieur, me
dit-il, si vous me voulez prendre à votre service, ou
me donner une honnête récompense pour me dédom-
mager de la perte de l'emploi que j'occupe ici, je
crois qu'il me sera facile de délivrer Mademoiselle
Manon. J'ouvris l'oreille à cette proposition, et
quoique je fusse dépourvu de tout, je lui fis des promesses fort au-dessus de ses désirs. Je comptais bien
qu'il me serait toujours aisé de récompenser un homme
de cette étoffe. Sois persuadé, lui dis-je, mon ami, qu'il
n'y a rien que je ne fasse pour toi, et que ta fortune
est aussi assurée que la mienne. Je voulus savoir
quels moyens il avait dessein d'employer. Nul autre,
me dit-il, que de lui ouvrir le soir la porte de sa
chambre, et de vous la conduire jusqu'à celle de la
rue, où il faudra que vous soyez prêt à la recevoir. Je
lui demandai s'il n'était point à craindre qu'elle ne
fût reconnue en traversant les galeries et les cours.
Il confessa qu'il y avait quelque danger, mais il me
dit qu'il fallait bien risquer quelque chose. Quoique
je fusse ravi de le voir si résolu, j'appelai M. de T...
pour lui communiquer ce projet, et la seule raison qui
semblait pouvoir le rendre douteux. Il y trouva plus
de difficulté que moi. Il convint qu'elle pouvait absolument s'échapper de cette manière; mais, si elle est
reconnue, continua-t-il, si elle est arrêtée en fuyant,
c'est peut-être fait d'elle pour toujours. D'ailleurs, il
vous faudrait donc quitter Paris sur-le-champ, car
vous ne seriez jamais assez caché aux recherches. On
les redoublerait, autant par rapport à vous qu'à elle.
Un homme s'échappe aisément, quand il est seul, mais
il est presque impossible de demeurer inconnu avec
une jolie femme. Quelque solide que me parût ce
raisonnement, il ne put l'emporter, dans mon esprit,
sur un espoir si proche de mettre Manon en liberté.

Je le dis à M. de T..., et je le priai de pardonner un
peu d'imprudence et de témérité à l'amour. J'ajoutai
que mon dessein était, en effet, de quitter Paris, pour
m'arrêter, comme j'avais déjà fait, dans quelque village voisin. Nous convînmes donc, avec le valet, de
ne pas remettre son entreprise plus loin qu'au jour
suivant, et pour la rendre aussi certaine qu'il était en
notre pouvoir, nous résolûmes d'apporter des habits
d'homme, dans la vue de faciliter notre sortie. Il
n'était pas aisé de les faire entrer, mais je ne manquai
pas d'invention pour en trouver le moyen. Je priai
seulement M. de T... de mettre le lendemain deux vestes
légères l'une sur l'autre, et je me chargeai de tout le reste.

Nous retournâmes le matin à l'Hôpital. J'avais avec
moi, pour Manon, du linge, des bas, etc., et par-
dessus mon juste-au-corps, un surtout qui ne laissait
rien voir de trop enflé dans mes poches. Nous ne
fûmes qu'un moment dans sa chambre. M. de T...
lui laissa une de ses deux vestes; je lui donnai mon
juste-au-corps, le surtout me suffisant pour sortir.
Il ne se trouva rien de manque à son ajustement,
excepté la culotte que j'avais malheureusement oubliée.
L'oubli de cette pièce nécessaire nous eût, sans doute,
apprêtés à rire si l'embarras où il nous mettait eût été
moins sérieux. J'étais au désespoir qu'une bagatelle
de cette nature fût capable de nous arrêter. Cependant,
je pris mon parti, qui fut de sortir moi-même sans
culotte. Je laissai la mienne à Manon. Mon surtout
était long, et je me mis, à l'aide de quelques épingles,
en état de passer décemment à la porte. Le reste du
jour me parut d'une longueur insupportable. Enfin, la
nuit étant venue, nous nous rendîmes un peu au-
dessous de la porte de l'Hôpital, dans un carrosse.
Nous n'y fûmes pas longtemps sans voir Manon
paraître avec son conducteur. Notre portière étant
ouverte, ils montèrent tous deux à l'instant. Je reçus
ma chère maîtresse dans mes bras. Elle tremblait
comme une feuille. Le cocher me demanda où il fallait
toucher. Touche au bout du monde, lui dis-je, et
mène-moi quelque part où je ne puisse jamais être
séparé de Manon.

Ce transport, dont je ne fus pas le maître, faillit de m'attirer un fâcheux embarras. Le cocher fit réflexion à mon langage, et lorsque je lui dis ensuite le nom de la rue où nous voulions être conduits, il me répondit qu'il craignait que je ne l'engageasse dans une mauvaise affaire, qu'il voyait bien que ce beau jeune homme, qui s'appelait Manon, était une fille que j'enlevais de l'Hôpital, et qu'il n'était pas d'humeur à se perdre pour l'amour de moi. La délicatesse de ce coquin n'était qu'une envie de me faire payer la voiture plus cher. Nous étions trop près de l'Hôpital pour ne pas filer doux. Tais-toi, lui dis-je, il y a un louis d'or à gagner pour toi. Il m'aurait aidé, après cela, à brûler l'Hôpital même. Nous gagnâmes la maison où demeurait Lescaut. Comme il était tard, M. de T... nous quitta en chemin, avec promesse de nous revoir le lendemain. Le valet demeura seul avec nous.

Je tenais Manon si étroitement serrée entre mes bras que nous n'occupions qu'une place dans le carrosse. Elle pleurait de joie, et je sentais ses larmes qui mouillaient mon visage mais, lorsqu'il fallut descendre pour entrer chez Lescaut, j'eus avec le cocher un nouveau démêlé, dont les suites furent funestes. Je me repentis de lui avoir promis un louis, non seulement parce que le présent était excessif, mais par une autre raison bien plus forte, qui était l'impuissance de le payer. Je fis appeler Lescaut. Il descendit de sa chambre pour venir à la porte. Je lui dis à l'oreille dans quel embarras je me trouvais. Comme il était d'une humeur brusque, et nullement accoutumé à ménager un fiacre, il me répondit que je me moquais. Un louis d'or! ajouta-t-il. Vingt coups de canne à ce coquin-là! J'eus beau lui représenter doucement qu'il allait nous perdre, il m'arracha ma canne, avec l'air d'en vouloir maltraiter le cocher. Celui-ci, à qui il était peut-être arrivé de tomber quelquefois sous la main d'un garde du corps ou d'un mousquetaire, s'enfuit de peur, avec son carrosse, en criant que je l'avais trompé, mais que j'aurais de ses nouvelles. Je lui répétai inutilement d'arrêter. Sa fuite me causa une extrême inquiétude. Je ne doutai point qu'il n'avertît le commissaire. Vous me perdez, dis-je à Lescaut. Je ne serais pas en sûreté chez vous ; il faut nous éloigner dans le moment. Je prêtai le bras à Manon pour marcher, et nous sortîmes promptement de cette dangereuse rue. Lescaut nous tint compagnie. C'est quelque chose d'admirable que la manière dont la Providence enchaîne les événements. A peine avionsnous marché cinq ou six minutes, qu'un homme, dont je ne découvris point le visage, reconnut Lescaut. Il le cherchait sans doute aux environs de chez lui, avec le malheureux dessein qu'il exécuta. C'est Lescaut, dit-il, en lui lâchant un coup de pistolet ; il ira souper ce soir avec les anges. Il se déroba aussitôt. Lescaut tomba, sans le moindre mouvement de vie. Je pressai Manon de fuir, car nos secours étaient inutiles à un cadavre, et je craignais d'être arrêté par le guet, qui ne pouvait tarder à paraître. J'enfilai, avec elle et le valet, la première petite rue qui croisait. Elle était si éperdue que j'avais de la peine à la soutenir. Enfin j'aperçus un fiacre au bout de la rue. Nous y montâmes, mais lorsque le cocher me demanda où il fallait nous conduire, je fus embarrassé à lui répondre. Je n'avais point d'asile assuré ni d'ami de confiance à qui j'osasse avoir recours. J'étais sans argent, n'ayant guère plus d'une demi-pistole dans ma bourse. La frayeur et la fatigue avaient tellement incommodé Manon qu'elle était à demi pâmée près de moi. J'avais, d'ailleurs, l'imagination remplie du meurtre de Lescaut, et je n'étais pas encore sans appréhension de la part du guet. Quel parti prendre ? Je me souvins heureusement de l'auberge de Chaillot, où j'avais passé quelques jours avec Manon, lorsque nous étions allés dans ce village pour y demeurer. J'espérai non seulement d'y être en sûreté, mais d'y pouvoir vivre quelque temps sans être pressé de payer. Mène-nous à Chaillot, dis-je au cocher. Il refusa d'y aller si tard, à moins d'une pistole : autre sujet d'embarras. Enfin nous convînmes de six francs ; c'était toute la somme qui restait dans ma bourse.

Je consolais Manon, en avançant ; mais, au fond,

j'avais le désespoir dans le cœur. Je me serais donné
mille fois la mort, si je n'eusse pas eu, dans mes bras,
le seul bien qui m'attachait à la vie. Cette seule pensée
me remettait. Je la tiens du moins, disais-je ; elle m'aime,
elle est à moi. Tiberge a beau dire, ce n'est pas là un
fantôme de bonheur. Je verrais périr tout l'univers
sans y prendre intérêt. Pourquoi ? Parce que je n'ai plus
d'affection de reste. Ce sentiment était vrai ; cependant,
dans le temps que je faisais si peu de cas des biens du
monde, je sentais que j'aurais eu besoin d'en avoir du
moins une petite partie, pour mépriser encore plus
souverainement tout le reste. L'amour est plus fort
que l'abondance, plus fort que les trésors et les richesses,
mais il a besoin de leur secours ; et rien n'est plus
désespérant, pour un amant délicat, que de se voir
ramené par là, malgré lui, à la grossièreté des âmes
les plus basses.

Il était onze heures quand nous arrivâmes à Chaillot.
Nous fûmes reçus à l'auberge comme des personnes de
connaissance ; on ne fut pas surpris de voir Manon en
habit d'homme, parce qu'on est accoutumé, à Paris
et aux environs, de voir prendre aux femmes toutes
sortes de formes. Je la fis servir aussi proprement que
si j'eusse été dans la meilleure fortune. Elle ignorait
que je fusse mal en argent ; je me gardai bien de lui en
rien apprendre, étant résolu de retourner seul à Paris,
le lendemain, pour chercher quelque remède à cette
fâcheuse espèce de maladie.

Elle me parut pâle et maigrie, en soupant. Je ne m'en
étais point aperçu à l'Hôpital, parce que la chambre
où je l'avais vue n'était pas des plus claires. Je lui
demandai si ce n'était point encore un effet de la
frayeur qu'elle avait eue en voyant assassiner son frère.
Elle m'assura que, quelque touchée qu'elle fût de cet
accident, sa pâleur ne venait que d'avoir essuyé pendant trois mois mon absence. Tu m'aimes donc extrêmement ? lui répondis-je. Mille fois plus que je ne puis
dire, reprit-elle. Tu ne me quitteras donc plus jamais ?
ajoutai-je. Non, jamais, répliqua-t-elle ; et cette assurance fut confirmée par tant de caresses et de serments,
qu'il me parut impossible, en effet, qu'elle pût jamais les

oublier. J'ai toujours été persuadé qu'elle était sincère ;
quelle raison aurait-elle eue de se contrefaire jusqu'à
ce point ? Mais elle était encore plus volage, ou plutôt
elle n'était plus rien, et elle ne se reconnaissait pas elle-
même, lorsque, ayant devant les yeux des femmes qui
vivaient dans l'abondance, elle se trouvait dans la
pauvreté et dans le besoin. J'étais à la veille d'en avoir
une dernière preuve qui a surpassé toutes les autres,
et qui a produit la plus étrange aventure qui soit jamais
arrivée à un homme de ma naissance et de ma fortune.

Comme je la connaissais de cette humeur, je me hâtai
le lendemain d'aller à Paris. La mort de son frère et la
nécessité d'avoir du linge et des habits pour elle et pour
moi étaient de si bonnes raisons que je n'eus pas
besoin de prétextes. Je sortis de l'auberge, avec le
dessein, dis-je à Manon et à mon hôte, de prendre un
carrosse de louage ; mais c'était une gasconnade. La
nécessité m'obligeant d'aller à pied, je marchai fort
vite jusqu'au Cours-la-Reine, où j'avais dessein de
m'arrêter. Il fallait bien prendre un moment de solitude et de tranquillité pour m'arranger et prévoir ce
que j'allais faire à Paris.

Je m'assis sur l'herbe. J'entrai dans une mer de rai-
sonnements et de réflexions, qui se réduisirent peu à peu
à trois principaux articles. J'avais besoin d'un secours
présent, pour un nombre infini de nécessités présentes.
J'avais à chercher quelque voie qui pût, du moins,
m'ouvrir des espérances pour l'avenir, et ce qui n'était
pas de moindre importance, j'avais des informations
et des mesures à prendre pour la sûreté de Manon et
pour la mienne. Après m'être épuisé en projets et en
combinaisons sur ces trois chefs, je jugeai encore à
propos d'en retrancher les deux derniers. Nous n'étions
pas mal à couvert, dans une chambre de Chaillot, et
pour les besoins futurs, je crus qu'il serait temps d'y
penser lorsque j'aurais satisfait aux présents.

Il était donc question de remplir actuellement ma
bourse. M. de T... m'avait offert généreusement la
sienne, mais j'avais une extrême répugnance à le
remettre moi-même sur cette matière. Quel personnage, que d'aller exposer sa misère à un étranger, et de

le prier de nous faire part de son bien! Il n'y a qu'une
âme lâche qui en soit capable, par une bassesse qui
l'empêche d'en sentir l'indignité, ou un chrétien humble,
par un excès de générosité qui le rend supérieur à cette
honte. Je n'étais ni un homme lâche, ni un bon chrétien; j'aurais donné la moitié de mon sang pour éviter
cette humiliation. Tiberge, disais-je, le bon Tiberge,
me refusera-t-il ce qu'il aura le pouvoir de me donner ?
Non, il sera touché de ma misère; mais il m'assassinera
par sa morale. Il faudra essuyer ses reproches, ses
exhortations, ses menaces; il me fera acheter ses secours
si cher, que je donnerais encore une partie de mon sang
plutôt que de m'exposer à cette scène fâcheuse qui me
laissera du trouble et des remords. Bon! reprenais-je,
il faut donc renoncer à tout espoir, puisqu'il ne me
reste point d'autre voie, et que je suis si éloigné de
m'arrêter à ces deux-là, que je verserais plus volontiers
la moitié de mon sang que d'en prendre une, c'est-à-
dire tout mon sang plutôt que de les prendre toutes
deux ? Oui, mon sang tout entier, ajoutai-je, après une
réflexion d'un moment; je le donnerais plus volontiers, sans doute, que de me réduire à de basses suppli-
cations. Mais il s'agit bien ici de mon sang! Il s'agit de
la vie et de l'entretien de Manon, il s'agit de son amour
et de sa fidélité. Qu'ai-je à mettre en balance avec elle ?
Je n'y ai rien mis jusqu'à présent. Elle me tient lieu de
gloire, de bonheur et de fortune. Il y a bien des choses,
sans doute, que je donnerais ma vie pour obtenir ou
pour éviter, mais estimer une chose plus que ma vie
n'est pas une raison pour l'estimer autant que Manon.
Je ne fus pas longtemps à me déterminer, après ce
raisonnement. Je continuai mon chemin, résolu d'aller
d'abord chez Tiberge, et de là chez M. de T...

En entrant à Paris, je pris un fiacre, quoique je n'eusse
pas de quoi le payer; je comptais sur les secours que
j'allais solliciter. Je me fis conduire au Luxembourg,
d'où j'envoyai avertir Tiberge que j'étais à l'attendre.
Il satisfit mon impatience par sa promptitude. Je lui
appris l'extrémité de mes besoins, sans nul détour.
Il me demanda si les cent pistoles que je lui avais
rendues me suffiraient, et, sans m'opposer un seul mot

de difficulté, il me les alla chercher dans le moment, avec cet air ouvert et ce plaisir à donner qui n'est connu que de l'amour et de la véritable amitié. Quoique je n'eusse pas eu le moindre doute du succès de ma demande, je fus surpris de l'avoir obtenue à si bon marché, c'est-à-dire sans qu'il m'eût querellé sur mon impénitence. Mais je me trompais, en me croyant tout à fait quitte de ses reproches, car lorsqu'il eut achevé de me compter son argent et que je me préparais à le quitter, il me pria de faire avec lui un tour d'allée. Je ne lui avais point parlé de Manon; il ignorait qu'elle fût en liberté; ainsi sa morale ne tomba que sur la fuite téméraire de Saint-Lazare et sur la crainte où il était qu'au lieu de profiter des leçons de sagesse que j'y avais reçues, je ne reprisse le train du désordre. Il me dit qu'étant allé pour me visiter à Saint-Lazare, le lendemain de mon évasion, il avait été frappé au-delà de toute expression en apprenant la manière dont j'en étais sorti; qu'il avait eu là-dessus un entretien avec le Supérieur; que ce bon père n'était pas encore remis de son effroi; qu'il avait eu néanmoins la générosité de déguiser à M. le Lieutenant général de Police les circonstances de mon départ, et qu'il avait empêché que la mort du portier ne fût connue au dehors; que je n'avais donc, de ce côté-là, nul sujet d'alarme, mais que, s'il me restait le moindre sentiment de sagesse, je profiterais de cet heureux tour que le Ciel donnait à mes affaires; que je devais commencer par écrire à mon père, et me remettre bien avec lui; et que, si je voulais suivre une fois son conseil, il était d'avis que je quittasse Paris, pour retourner dans le sein de ma famille.

J'écoutai son discours jusqu'à la fin. Il y avait là bien des choses satisfaisantes. Je fus ravi, premièrement, de n'avoir rien à craindre du côté de Saint-Lazare. Les rues de Paris me redevenaient un pays libre. En second lieu, je m'applaudis de ce que Tiberge n'avait pas la moindre idée de la délivrance de Manon et de son retour avec moi. Je remarquais même qu'il avait évité de me parler d'elle, dans l'opinion, apparemment, qu'elle me tenait moins au cœur, puisque je paraissais si tranquille sur son sujet. Je résolus, sinon

de retourner dans ma famille, du moins d'écrire à
mon père, comme il me le conseillait, et de lui témoi-
gner que j'étais disposé à rentrer dans l'ordre de mes
devoirs et de ses volontés. Mon espérance était de
l'engager à m'envoyer de l'argent, sous prétexte de
faire mes exercices à l'Académie, car j'aurais eu peine
à lui persuader que je fusse dans la disposition de
retourner à l'état ecclésiastique. Et dans le fond, je
n'avais nul éloignement pour ce que je voulais lui
promettre. J'étais bien aise, au contraire, de m'appliquer à quelque chose d'honnête et de raisonnable,
autant que ce dessein pourrait s'accorder avec mon
amour. Je faisais mon compte de vivre avec ma maîtresse, et de faire en même temps mes exercices; cela
était fort compatible. Je fus si satisfait de toutes ces
idées que je promis à Tiberge de faire partir, le jour
même, une lettre pour mon père. J'entrai effectivement
dans un bureau d'écriture, en le quittant, et j'écrivis
d'une manière si tendre et si soumise, qu'en relisant
ma lettre, je me flattai d'obtenir quelque chose du
cœur paternel.

Quoique je fusse en état de prendre et de payer un
fiacre après avoir quitté Tiberge, je me fis un plaisir
de marcher fièrement à pied en allant chez M. de T...
Je trouvais de la joie dans cet exercice de ma liberté,
pour laquelle mon ami m'avait assuré qu'il ne me restait
rien à craindre. Cependant il me revint tout d'un coup
à l'esprit que ses assurances ne regardaient que Saint-
Lazare, et que j'avais, outre cela, l'affaire de l'Hôpital sur les bras, sans compter la mort de Lescaut, dans
laquelle j'étais mêlé, du moins comme témoin. Ce
souvenir m'effraya si vivement que je me retirai dans la
première allée, d'où je fis appeler un carrosse. J'allai
droit chez M. de T..., que je fis rire de ma frayeur.
Elle me parut risible à moi-même, lorsqu'il m'eut appris
que je n'avais rien à craindre du côté de l'Hôpital,
ni de celui de Lescaut. Il me dit que, dans la pensée
qu'on pourrait le soupçonner d'avoir eu part à l'enlèvement de Manon, il était allé le matin à l'Hôpital,
et qu'il avait demandé à la voir en feignant d'ignorer ce qui était arrivé; qu'on était si éloigné de nous

accuser, ou lui, ou moi, qu'on s'était empressé, au
contraire, de lui apprendre cette aventure comme une
étrange nouvelle, et qu'on admirait qu'une fille aussi
jolie que Manon eût pris le parti de fuir avec un valet :
qu'il s'était contenté de répondre froidement qu'il
n'en était pas surpris, et qu'on fait tout pour la liberté.
Il continua de me raconter qu'il était allé de là chez
Lescaut, dans l'espérance de m'y trouver avec ma
charmante maîtresse; que l'hôte de la maison, qui était
un carrossier, lui avait protesté qu'il n'avait vu ni elle
ni moi; mais qu'il n'était pas étonnant que nous
n'eussions point paru chez lui, si c'était pour Lescaut
que nous devions y venir, parce que nous aurions sans
doute appris qu'il venait d'être tué à peu près dans le
même temps. Sur quoi, il n'avait pas refusé d'expliquer
ce qu'il savait de la cause et des circonstances de cette
mort. Environ deux heures auparavant, un garde du
corps, des amis de Lescaut, l'était venu voir et lui
avait proposé de jouer. Lescaut avait gagné si rapidement que l'autre s'était trouvé cent écus de moins en
une heure, c'est-à-dire tout son argent. Ce malheureux,
qui se voyait sans un sou, avait prié Lescaut de lui
prêter la moitié de la somme qu'il avait perdue; et sur
quelques difficultés nées à cette occasion, ils s'étaient
querellés avec une animosité extrême. Lescaut avait
refusé de sortir pour mettre l'épée à la main, et l'autre
avait juré, en le quittant, de lui casser la tête : ce qu'il
avait exécuté le soir même. M. de T... eut l'honnêteté
d'ajouter qu'il avait été fort inquiet par rapport à nous
et qu'il continuait de m'offrir ses services. Je ne balançai point à lui apprendre le lieu de notre retraite. Il me
pria de trouver bon qu'il allât souper avec nous.

Comme il ne me restait qu'à prendre du linge et
des habits pour Manon, je lui dis que nous pouvions
partir à l'heure même, s'il voulait avoir la complaisance de s'arrêter un moment avec moi chez quelques
marchands. Je ne sais s'il crut que je lui faisais cette
proposition dans la vue d'intéresser sa générosité, ou
si ce fut par le simple mouvement d'une belle âme,
mais ayant consenti à partir aussitôt, il me mena chez
les marchands qui fournissaient sa maison; il me fit

choisir plusieurs étoffes d'un prix plus considérable
que je ne me l'étais proposé, et lorsque je me disposais
à les payer, il défendit absolument aux marchands de
recevoir un sou de moi. Cette galanterie se fit de si
bonne grâce que je crus pouvoir en profiter sans honte.
Nous prîmes ensemble le chemin de Chaillot, où j'arrivai avec moins d'inquiétude que je n'en étais parti.

Le chevalier des Grieux ayant employé plus d'une
heure à ce récit, je le priai de prendre un peu de relâche,
et de nous tenir compagnie à souper. Notre attention
lui fit juger que nous l'avions écouté avec plaisir. Il
nous assura que nous trouverions quelque chose encore
de plus intéressant dans la suite de son histoire, et
lorsque nous eûmes fini de souper, il continua dans
ces termes.

FIN DE LA PREMIÈRE PARTIE.

DEUXIÈME PARTIE

Ma présence et les politesses de M. de T... dissipèrent tout ce qui pouvait rester de chagrin à Manon. Oublions nos terreurs passées, ma chère âme, lui disje en arrivant, et recommençons à vivre plus heureux que jamais. Après tout, l'amour est un bon maître; la fortune ne saurait nous causer autant de peines qu'il nous fait goûter de plaisirs. Notre souper fut une vraie scène de joie. J'étais plus fier et plus content, avec Manon et mes cent pistoles, que le plus riche partisan de Paris avec ses trésors entassés. Il faut compter ses richesses par les moyens qu'on a de satisfaire ses désirs. Je n'en avais pas un seul à remplir; l'avenir même me causait peu d'embarras. J'étais presque sûr que mon père ne ferait pas difficulté de me donner de quoi vivre honorablement à Paris, parce qu'étant dans ma vingtième année, j'entrais en droit d'exiger ma part du bien de ma mère. Je ne cachai point à Manon que le fond de mes richesses n'était que de cent pistoles. C'était assez pour attendre tranquillement une meilleure fortune, qui semblait ne me pouvoir manquer, soit par mes droits naturels ou par les ressources du jeu.

Ainsi, pendant les premières semaines, je ne pensai qu'à jouir de ma situation; et la force de l'honneur, autant qu'un reste de ménagement pour la police, me faisait remettre de jour en jour à renouer avec les associés de l'hôtel de T..., je me réduisis à jouer dans quelques assemblées moins décriées, où la faveur du sort m'épargna l'humiliation d'avoir recours à l'in-

dustrie. J'allais passer à la ville une partie de l'après-
midi, et je revenais souper à Chaillot, accompagné fort
souvent de M. de T..., dont l'amitié croissait de jour
en jour pour nous. Manon trouva des ressources contre
l'ennui. Elle se lia, dans le voisinage, avec quelques
jeunes personnes que le printemps y avait ramenées.
La promenade et les petits exercices de leur sexe faisaient alternativement leur occupation. Une partie de
jeu, dont elles avaient réglé les bornes, fournissait aux
frais de la voiture. Elles allaient prendre l'air au bois
de Boulogne, et le soir, à mon retour, je retrouvais
Manon plus belle, plus contente, et plus passionnée
que jamais.

Il s'éleva néanmoins quelques nuages, qui semblèrent
menacer l'édifice de mon bonheur. Mais ils furent nettement dissipés, et l'humeur folâtre de Manon rendit
le dénouement si comique, que je trouve encore de la
douceur dans un souvenir qui me représente sa tendresse et les agréments de son esprit.

Le seul valet qui composait notre domestique me
prit un jour à l'écart pour me dire, avec beaucoup
d'embarras, qu'il avait un secret d'importance à me
communiquer. Je l'encourageai à parler librement.
Après quelques détours, il me fit entendre qu'un seigneur étranger semblait avoir pris beaucoup d'amour
pour Mademoiselle Manon. Le trouble de mon sang
se fit sentir dans toutes mes veines. En a-t-elle pour
lui ? interrompis-je plus brusquement que la prudence
ne permettait pour m'éclaircir. Ma vivacité l'effraya. Il
me répondit, d'un air inquiet, que sa pénétration
n'avait pas été si loin, mais qu'ayant observé, depuis
plusieurs jours, que cet étranger venait assidûment au
bois de Boulogne, qu'il y descendait de son carrosse,
et que, s'engageant seul dans les contre-allées, il paraissait chercher l'occasion de voir ou de rencontrer mademoiselle, il lui était venu à l'esprit de faire quelque
liaison avec ses gens, pour apprendre le nom de leur
maître; qu'ils le traitaient de prince italien, et qu'ils
le soupçonnaient eux-mêmes de quelque aventure
galante; qu'il n'avait pu se procurer d'autres lumières,
ajouta-t-il en tremblant, parce que le Prince, étant

alors sorti du bois, s'était approché familièrement de
lui, et lui avait demandé son nom; après quoi, comme
s'il eût deviné qu'il était à notre service, il l'avait
félicité d'appartenir à la plus charmante personne du
monde.

J'attendais impatiemment la suite de ce récit. Il le
finit par des excuses timides, que je n'attribuai qu'à
mes imprudentes agitations. Je le pressai en vain de
continuer sans déguisement. Il me protesta qu'il ne
savait rien de plus, et que, ce qu'il venait de me raconter étant arrivé le jour précédent, il n'avait pas revu
les gens du prince. Je le rassurai, non seulement par
des éloges, mais par une honnête récompense, et sans
lui marquer la moindre défiance de Manon, je lui
recommandai, d'un ton plus tranquille, de veiller sur
toutes les démarches de l'étranger.

Au fond, sa frayeur me laissa de cruels doutes. Elle
pouvait lui avoir fait supprimer une partie de la vérité.
Cependant, après quelques réflexions, je revins de mes
alarmes, jusqu'à regretter d'avoir donné cette marque
de faiblesse. Je ne pouvais faire un crime à Manon
d'être aimée. Il y avait beaucoup d'apparence qu'elle
ignorait sa conquête; et quelle vie allais-je mener si
j'étais capable d'ouvrir si facilement l'entrée de mon
cœur à la jalousie ? Je retournai à Paris le jour suivant
sans avoir formé d'autre dessein que de hâter le progrès de ma fortune en jouant plus gros jeu, pour me
mettre en état de quitter Chaillot au premier sujet
d'inquiétude. Le soir, je n'appris rien de nuisible à
mon repos. L'étranger avait reparu au bois de Boulogne, et prenant droit de ce qui s'y était passé la
veille pour se rapprocher de mon confident, il lui
avait parlé de son amour, mais dans des termes qui
ne supposaient aucune intelligence avec Manon. Il
l'avait interrogé sur mille détails. Enfin, il avait tenté
de le mettre dans ses intérêts par des promesses considérables, et tirant une lettre qu'il tenait prête, il lui
avait offert inutilement quelques louis d'or pour la
rendre à sa maîtresse.

Deux jours se passèrent sans aucun autre incident. Le
troisième fut plus orageux. J'appris, en arrivant de la

ville assez tard, que Manon, pendant sa promenade, s'était écartée un moment de ses compagnes, et que l'étranger, qui la suivait à peu de distance, s'étant approché d'elle au signe qu'elle lui en avait fait, elle lui avait remis une lettre qu'il avait reçue avec des transports de joie. Il n'avait eu le temps de les exprimer qu'en baisant amoureusement les caractères, parce qu'elle s'était aussitôt dérobée. Mais elle avait paru d'une gaieté extraordinaire pendant le reste du jour, et depuis qu'elle était rentrée au logis, cette humeur ne l'avait pas abandonnée. Je frémis, sans doute, à chaque mot. Es-tu bien sûr, dis-je tristement à mon valet, que tes yeux ne t'aient pas trompé ? Il prit le Ciel à témoin de sa bonne foi. Je ne sais à quoi les tourments de mon cœur m'auraient porté si Manon, qui m'avait entendu rentrer, ne fût venue au-devant de moi avec un air d'impatience et des plaintes de ma lenteur. Elle n'attendit point ma réponse pour m'accabler de caresses, et lorsqu'elle se vit seule avec moi, elle me fit des reproches fort vifs de l'habitude que je prenais de revenir si tard. Mon silence lui laissant la liberté de continuer, elle me dit que, depuis trois semaines, je n'avais pas passé une journée entière avec elle; qu'elle ne pouvait soutenir de si longues absences; qu'elle me demandait du moins un jour, par intervalles; et que, dès le lendemain, elle voulait me voir près d'elle, du matin au soir. J'y serai, n'en doutez pas, lui répondis-je d'un ton assez brusque. Elle marqua peu d'attention pour mon chagrin, et dans le mouvement de sa joie, qui me parut en effet d'une vivacité singulière, elle me fit mille peintures plaisantes de la manière dont elle avait passé le jour. Etrange fille! me disais-je à moi-même; que dois-je attendre de ce prélude ? L'aventure de notre première séparation me revint à l'esprit. Cependant je croyais voir, dans le fond de sa joie et de ses caresses, un air de vérité qui s'accordait avec les apparences.

Il ne me fut pas difficile de rejeter la tristesse, dont je ne pus me défendre pendant notre souper, sur une perte que je me plaignis d'avoir faite au jeu. J'avais

regardé comme un extrême avantage que l'idée de ne
pas quitter Chaillot le jour suivant fût venue d'elle-
même. C'était gagner du temps pour mes délibérations.
Ma présence éloignait toutes sortes de craintes pour
le lendemain, et si je ne remarquais rien qui m'obligeât
de faire éclater mes découvertes, j'étais déjà résolu
de transporter, le jour d'après, mon établissement à
la ville, dans un quartier où je n'eusse rien à démêler
avec les princes. Cet arrangement me fit passer une
nuit plus tranquille, mais il ne m'ôtait pas la douleur
d'avoir à trembler pour une nouvelle infidélité.

A mon réveil, Manon me déclara que, pour passer
le jour dans notre appartement, elle ne prétendait pas
que j'en eusse l'air plus négligé, et qu'elle voulait que
mes cheveux fussent accommodés de ses propres
mains. Je les avais fort beaux. C'était un amusement
qu'elle s'était donné plusieurs fois ; mais elle y apporta
plus de soins que je ne lui en avais jamais vu prendre.
Je fus obligé, pour la satisfaire, de m'asseoir devant
sa toilette, et d'essuyer toutes les petites recherches
qu'elle imagina pour ma parure. Dans le cours de
son travail, elle me faisait tourner souvent le visage
vers elle, et s'appuyant des deux mains sur mes épaules,
elle me regardait avec une curiosité avide. Ensuite,
exprimant sa satisfaction par un ou deux baisers, elle
me faisait reprendre ma situation pour continuer son
ouvrage. Ce badinage nous occupa jusqu'à l'heure du
dîner. Le goût qu'elle y avait pris m'avait paru si naturel, et sa gaieté sentait si peu l'artifice, que ne pouvant
concilier des apparences si constantes avec le projet
d'une noire trahison, je fus tenté plusieurs fois de lui
ouvrir mon cœur, et de me décharger d'un fardeau
qui commençait à me peser. Mais je me flattais, à
chaque instant, que l'ouverture viendrait d'elle, et je
m'en faisais d'avance un délicieux triomphe.

Nous rentrâmes dans son cabinet. Elle se mit à
rajuster mes cheveux, et ma complaisance me faisait
céder à toutes ses volontés, lorsqu'on vint l'avertir que
le prince de... demandait à la voir. Ce nom m'échauffa
jusqu'au transport. Quoi donc ? m'écriai-je en la
repoussant. Qui ? Quel prince ? Elle ne répondit point

à mes questions. Faites-le monter, dit-elle froidement
au valet ; et se tournant vers moi : Cher amant, toi
que j'adore, reprit-elle d'un ton enchanteur, je te
demande un moment de complaisance, un moment,
un seul moment. Je t'en aimerai mille fois plus. Je t'en
saurai gré toute ma vie.

L'indignation et la surprise me lièrent la langue. Elle
répétait ses instances, et je cherchais des expressions
pour les rejeter avec mépris. Mais, entendant ouvrir
la porte de l'antichambre, elle empoigna d'une main
mes cheveux, qui étaient flottants sur mes épaules,
elle prit de l'autre son miroir de toilette ; elle employa
toute sa force pour me traîner dans cet état jusqu'à la
porte du cabinet, et l'ouvrant du genou, elle offrit à
l'étranger, que le bruit semblait avoir arrêté au milieu
de la chambre, un spectacle qui ne dut pas lui causer
peu d'étonnement. Je vis un homme fort bien mis,
mais d'assez mauvaise mine. Dans l'embarras où le
jetait cette scène, il ne laissa pas de faire une profonde
révérence. Manon ne lui donna pas le temps d'ouvrir
la bouche. Elle lui présenta son miroir : Voyez, monsieur, lui dit-elle, regardez-vous bien, et rendez-moi
justice. Vous me demandez de l'amour. Voici l'homme
que j'aime, et que j'ai juré d'aimer toute ma vie.
Faites la comparaison vous-même. Si vous croyez lui
pouvoir disputer mon cœur, apprenez-moi donc sur
quel fondement, car je vous déclare qu'aux yeux de
votre servante très humble, tous les princes d'Italie
ne valent pas un des cheveux que je tiens.

Pendant cette folle harangue, qu'elle avait apparemment méditée, je faisais des efforts inutiles pour me
dégager, et prenant pitié d'un homme de considération, je me sentais porté à réparer ce petit outrage
par mes politesses. Mais, s'étant remis assez facilement,
sa réponse, que je trouvai un peu grossière, me fit perdre
cette disposition. Mademoiselle, mademoiselle, lui dit-
il avec un sourire forcé, j'ouvre en effet les yeux, et
je vous trouve bien moins novice que je ne me l'étais
figuré. Il se retira aussitôt sans jeter les yeux sur elle,
en ajoutant, d'une voix plus basse, que les femmes de
France ne valaient pas mieux que celles d'Italie. Rien

ne m'invitait, dans cette occasion, à lui faire prendre une meilleure idée du beau sexe.

Manon quitta mes cheveux, se jeta dans un fauteuil, et fit retentir la chambre de longs éclats de rire. Je ne dissimulerai pas que je fus touché, jusqu'au fond du cœur, d'un sacrifice que je ne pouvais attribuer qu'à l'amour. Cependant la plaisanterie me parut excessive. Je lui en fis des reproches. Elle me raconta que mon rival, après l'avoir obsédée pendant plusieurs jours au bois de Boulogne, et lui avoir fait deviner ses sentiments par des grimaces, avait pris le parti de lui en faire une déclaration ouverte, accompagnée de son nom et de tous ses titres, dans une lettre qu'il lui avait fait remettre par le cocher qui la conduisait avec ses compagnes; qu'il lui promettait, au-delà des monts, une brillante fortune et des adorations éternelles; qu'elle était revenue à Chaillot dans la résolution de me communiquer cette aventure, mais qu'ayant conçu que nous en pouvions tirer de l'amusement, elle n'avait pu résister à son imagination; qu'elle avait offert au Prince italien, par une réponse flatteuse, la liberté de la voir chez elle, et qu'elle s'était fait un second plaisir de me faire entrer dans son plan, sans m'en avoir fait naître le moindre soupçon. Je ne lui dis pas un mot des lumières qui m'étaient venues par une autre voie, et l'ivresse de l'amour triomphant me fit tout approuver.

J'ai remarqué, dans toute ma vie, que le Ciel a toujours choisi, pour me frapper de ses plus rudes châtiments, le temps où ma fortune me semblait le mieux établie. Je me croyais si heureux, avec l'amitié de M. de T... et la tendresse de Manon, qu'on n'aurait pu me faire comprendre que j'eusse à craindre quelque nouveau malheur. Cependant, il s'en préparait un si funeste, qu'il m'a réduit à l'état où vous m'avez vu à Pacy, et par degrés à des extrémités si déplorables que vous aurez peine à croire mon récit fidèle.

Un jour que nous avions M. de T... à souper, nous entendîmes le bruit d'un carrosse qui s'arrêtait à la porte de l'hôtellerie. La curiosité nous fit désirer de savoir qui pouvait arriver à cette heure. On nous dit que c'était le jeune G... M..., c'est-à-dire le fils de

notre plus cruel ennemi, de ce vieux débauché qui
m'avait mis à Saint-Lazare et Manon à l'Hôpital. Son
nom me fit monter la rougeur au visage. C'est le Ciel
qui me l'amène, dis-je à M. de T..., pour le punir de la
lâcheté de son père. Il ne m'échappera pas que nous
n'ayons mesuré nos épées. M. de T..., qui le connaissait
et qui était même de ses meilleurs amis, s'efforça de
me faire prendre d'autres sentiments pour lui. Il m'assura que c'était un jeune homme très aimable, et si
peu capable d'avoir eu part à l'action de son père que
je ne le verrais pas moi-même un moment sans lui
accorder mon estime et sans désirer la sienne. Après
avoir ajouté mille choses à son avantage, il me pria de
consentir qu'il allât lui proposer de venir prendre
place avec nous, et de s'accommoder du reste de notre
souper. Il prévint l'objection du péril où c'était exposer
Manon que de découvrir sa demeure au fils de notre
ennemi, en protestant, sur son honneur et sur sa
foi, que, lorsqu'il nous connaîtrait, nous n'aurions
point de plus zélé défenseur. Je ne fis difficulté de rien,
après de telles assurances. M. de T... ne nous l'amena
point sans avoir pris un moment pour l'informer qui
nous étions. Il entra d'un air qui nous prévint effectivement en sa faveur. Il m'embrassa. Nous nous
assîmes. Il admira Manon, moi, tout ce qui nous
appartenait, et il mangea d'un appétit qui fit honneur
à notre souper. Lorsqu'on eut desservi, la conversation
devint plus sérieuse. Il baissa les yeux pour nous parler de l'excès où son père s'était porté contre nous.
Il nous fit les excuses les plus soumises. Je les abrège,
nous dit-il, pour ne pas renouveler un souvenir qui me
cause trop de honte. Si elles étaient sincères dès le
commencement, elles le devinrent bien plus dans la
suite, car il n'eut pas passé une demi-heure dans cet
entretien, que je m'aperçus de l'impression que les
charmes de Manon faisaient sur lui. Ses regards et ses
manières s'attendrirent par degrés. Il ne laissa rien
échapper néanmoins dans ses discours, mais, sans
être aidé de la jalousie, j'avais trop d'expérience en
amour pour ne pas discerner ce qui venait de cette
source. Il nous tint compagnie pendant une partie de la

nuit, et il ne nous quitta qu'après s'être félicité de notre connaissance, et nous avoir demandé la permission de venir nous renouveler quelquefois l'offre de ses services. Il partit le matin avec M. de T..., qui se mit avec lui dans son carrosse.

Je ne me sentais, comme j'ai dit, aucun penchant à la jalousie. J'avais plus de crédulité que jamais pour les serments de Manon. Cette charmante créature était si absolument maîtresse de mon âme que je n'avais pas un seul petit sentiment qui ne fût de l'estime et de l'amour. Loin de lui faire un crime d'avoir plu au jeune G... M..., j'étais ravi de l'effet de ses charmes, et je m'applaudissais d'être aimé d'une fille que tout le monde trouvait aimable. Je ne jugeai pas même à propos de lui communiquer mes soupçons. Nous fûmes occupés, pendant quelques jours, du soin de faire ajuster ses habits, et à délibérer si nous pouvions aller à la Comédie sans appréhender d'être reconnus. M. de T... revint nous voir avant la fin de la semaine. Nous le consultâmes là-dessus. Il vit bien qu'il fallait dire oui, pour faire plaisir à Manon. Nous résolûmes d'y aller le même soir avec lui.

Cependant cette résolution ne put s'exécuter, car m'ayant tiré aussitôt en particulier : Je suis, me dit-il, dans le dernier embarras depuis que je ne vous ai vu, et la visite que je vous fais aujourd'hui en est une suite. G... M... aime votre maîtresse. Il m'en a fait confidence. Je suis son intime ami, et disposé en tout à le servir; mais je ne suis pas moins le vôtre. J'ai considéré que ses intentions sont injustes et je les ai condamnées. J'aurais gardé son secret s'il n'avait dessein d'employer, pour plaire, que les voies communes, mais il est bien informé de l'humeur de Manon. Il a su, je ne sais d'où, qu'elle aime l'abondance et les plaisirs, et comme il jouit déjà d'un bien considérable, il m'a déclaré qu'il veut la tenter d'abord par un très gros présent et par l'offre de dix mille livres de pension. Toutes choses égales, j'aurais peut-être eu beaucoup plus de violence à me faire pour le trahir, mais la justice s'est jointe en votre faveur à l'amitié; d'autant plus qu'ayant été la cause imprudente de sa passion, en l'introdui-

sant ici, je suis obligé de prévenir les effets du mal que
j'ai causé.

Je remerciai M. de T... d'un service de cette importance, et je lui avouai, avec un parfait retour de
confiance, que le caractère de Manon était tel que
G... M... se le figurait, c'est-à-dire qu'elle ne pouvait
supporter le nom de la pauvreté. Cependant, lui dis-je,
lorsqu'il n'est question que du plus ou du moins, je ne
la crois pas capable de m'abandonner pour un autre. Je
suis en état de ne la laisser manquer de rien, et je
compte que ma fortune va croître de jour en jour. Je
ne crains qu'une chose, ajoutai-je, c'est que G... M...
ne se serve de la connaissance qu'il a de notre demeure
pour nous rendre quelque mauvais office. M. de T...
m'assura que je devais être sans appréhension de ce
côté-là; que G... M... était capable d'une folie amoureuse, mais qu'il ne l'était point d'une bassesse; que
s'il avait la lâcheté d'en commettre une, il serait le
premier, lui qui parlait, à l'en punir et à réparer par là
le malheur qu'il avait eu d'y donner occasion. Je vous
suis obligé de ce sentiment, repris-je, mais le mal serait
fait et le remède fort incertain. Ainsi le parti le plus
sage est de le prévenir, en quittant Chaillot pour
prendre une autre demeure. Oui, reprit M. de T... Mais
vous aurez peine à le faire aussi promptement qu'il
faudrait, car G... M... doit être ici à midi; il me le dit
hier, et c'est ce qui m'a porté à venir si matin, pour vous
informer de ses vues. Il peut arriver à tout moment.

Un avis si pressant me fit regarder cette affaire d'un
œil plus sérieux. Comme il me semblait impossible
d'éviter la visite de G... M..., et qu'il me le serait aussi,
sans doute, d'empêcher qu'il ne s'ouvrît à Manon, je
pris le parti de la prévenir moi-même sur le dessein de
ce nouveau rival. Je m'imaginai que, me sachant instruit des propositions qu'il lui ferait, et les recevant à
mes yeux, elle aurait assez de force pour les rejeter. Je
découvris ma pensée à M. de T..., qui me répondit que
cela était extrêmement délicat. Je l'avoue, lui dis-je,
mais toutes les raisons qu'on peut avoir d'être sûr
d'une maîtresse, je les ai de compter sur l'affection de
la mienne. Il n'y aurait que la grandeur des offres qui

pût l'éblouir, et je vous ai dit qu'elle ne connaît point l'intérêt. Elle aime ses aises, mais elle m'aime aussi, et, dans la situation où sont mes affaires, je ne saurais croire qu'elle me préfère le fils d'un homme qui l'a mise à l'Hôpital. En un mot, je persistai dans mon dessein, et m'étant retiré à l'écart avec Manon, je lui déclarai naturellement tout ce que je venais d'apprendre.

Elle me remercia de la bonne opinion que j'avais d'elle, et elle me promit de recevoir les offres de G... M... d'une manière qui lui ôterait l'envie de les renouveler. Non, lui dis-je, il ne faut pas l'irriter par une brusquerie. Il peut nous nuire. Mais tu sais assez, toi, friponne, ajoutai-je en riant, comment te défaire d'un amant désagréable ou incommode. Elle reprit, après avoir un peu rêvé : Il me vient un dessein admirable, s'écria-t-elle, et je suis toute glorieuse de l'invention. G... M... est le fils de notre plus cruel ennemi; il faut nous venger du père, non pas sur le fils, mais sur sa bourse. Je veux l'écouter, accepter ses présents, et me moquer de lui. Le projet est joli, lui dis-je, mais tu ne songes pas, mon pauvre enfant, que c'est le chemin qui nous a conduits droit à l'Hôpital. J'eus beau lui représenter le péril de cette entreprise, elle me dit qu'il ne s'agissait que de bien prendre nos mesures, et elle répondit à toutes mes objections. Donnez-moi un amant qui n'entre point aveuglément dans tous les caprices d'une maîtresse adorée, et je conviendrai que j'eus tort de céder si facilement. La résolution fut prise de faire une dupe de G... M..., et par un tour bizarre de mon sort, il arriva que je devins la sienne.

Nous vîmes paraître son carrosse vers les onze heures. Il nous fit des compliments fort recherchés sur la liberté qu'il prenait de venir dîner avec nous. Il ne fut pas surpris de trouver M. de T..., qui lui avait promis la veille de s'y rendre aussi, et qui avait feint quelques affaires pour se dispenser de venir dans la même voiture. Quoiqu'il n'y eût pas un seul de nous qui ne portât la trahison dans le cœur, nous nous mîmes à table avec un air de confiance et d'amitié. G... M... trouva aisément l'occasion de déclarer ses sentiments à Manon.

Je ne dus pas lui paraître gênant, car je m'absentai
exprès pendant quelques minutes. Je m'aperçus, à
mon retour, qu'on ne l'avait pas désespéré par un
excès de rigueur. Il était de la meilleure humeur du
monde. J'affectai de le paraître aussi. Il riait intérieu-
rement de ma simplicité, et moi de la sienne. Pendant
tout l'après-midi, nous fûmes l'un pour l'autre une
scène fort agréable. Je lui ménageai encore, avant son
départ, un moment d'entretien particulier avec
Manon, de sorte qu'il eut lieu de s'applaudir de ma
complaisance autant que de la bonne chère.

Aussitôt qu'il fut monté en carrosse avec M. de T...,
Manon accourut à moi, les bras ouverts, et m'embrassa en éclatant de rire. Elle me répéta ses discours
et ses propositions, sans y changer un mot. Ils se
réduisaient à ceci : il l'adorait. Il voulait partager avec
elle quarante mille livres de rente dont il jouissait déjà,
sans compter ce qu'il attendait après la mort de son
père. Elle allait être maîtresse de son cœur et de sa
fortune, et, pour gage de ses bienfaits, il était prêt à
lui donner un carrosse, un hôtel meublé, une femme
de chambre, trois laquais et un cuisinier. Voilà un
fils, dis-je à Manon, bien autrement généreux que son
père. Parlons de bonne foi, ajoutai-je; cette offre ne
vous tente-t-elle point ? Moi ? répondit-elle, en ajus-
tant à sa pensée deux vers de Racine :

Moi! vous me soupçonnez de cette perfidie ?
Moi! je pourrais souffrir un visage odieux,
Qui rappelle toujours l'Hôpital à mes yeux ?

Non, repris-je, en continuant la parodie :

J'aurais peine à penser que l'Hôpital, Madame,
Fût un trait dont l'Amour l'eût gravé dans votre âme.

Mais c'en est un bien séduisant qu'un hôtel meublé
avec un carrosse et trois laquais; et l'amour en a peu
d'aussi forts. Elle me protesta que son cœur était à moi
pour toujours, et qu'il ne recevrait jamais d'autres
traits que les miens. Les promesses qu'il m'a faites, me
dit-elle, sont un aiguillon de vengeance, plutôt qu'un

trait d'amour. Je lui demandai si elle était dans le dessein d'accepter l'hôtel et le carrosse. Elle me répondit
qu'elle n'en voulait qu'à son argent. La difficulté était
d'obtenir l'un sans l'autre. Nous résolûmes d'attendre l'entière explication du projet de G... M...,
dans une lettre qu'il avait promis de lui écrire. Elle la
reçut en effet le lendemain, par un laquais sans livrée,
qui se procura fort adroitement l'occasion de lui parler
sans témoins. Elle lui dit d'attendre sa réponse, et elle
vint m'apporter aussitôt sa lettre. Nous l'ouvrîmes
ensemble. Outre les lieux communs de tendresse, elle
contenait le détail des promesses de mon rival. Il ne
bornait point sa dépense. Il s'engageait à lui compter
dix mille francs, en prenant possession de l'hôtel, et à
réparer tellement les diminutions de cette somme,
qu'elle l'eût toujours devant elle en argent comptant.
Le jour de l'inauguration n'était pas reculé trop loin :
il ne lui en demandait que deux pour les préparatifs,
et il lui marquait le nom de la rue et de l'hôtel, où il
lui promettait de l'attendre l'après-midi du second
jour, si elle pouvait se dérober de mes mains. C'était
l'unique point sur lequel il la conjurait de le tirer
d'inquiétude; il paraissait sûr de tout le reste, mais il
ajoutait que, si elle prévoyait de la difficulté à m'échapper, il trouverait le moyen de rendre sa fuite aisée.

G... M... était plus fin que son père; il voulait tenir
sa proie avant que de compter ses espèces. Nous déli-
bérâmes sur la conduite que Manon avait à tenir. Je fis
encore des efforts pour lui ôter cette entreprise de la
tête et je lui en représentai tous les dangers. Rien ne fut
capable d'ébranler sa résolution.

Elle fit une courte réponse à G... M..., pour l'assurer qu'elle ne trouverait pas de difficulté à se rendre à
Paris le jour marqué, et qu'il pouvait l'attendre avec
certitude. Nous réglâmes ensuite que je partirais sur-
le-champ pour aller louer un nouveau logement dans
quelque village, de l'autre côté de Paris, et que je
transporterais avec moi notre petit équipage; que le
lendemain après-midi, qui était le temps de son assignation, elle se rendrait de bonne heure à Paris;
qu'après avoir reçu les présents de G... M..., elle le

prierait instamment de la conduire à la Comédie ;
qu'elle prendrait avec elle tout ce qu'elle pourrait porter de la somme, et qu'elle chargerait du reste mon
valet, qu'elle voulait mener avec elle. C'était toujours
le même qui l'avait délivrée de l'Hôpital, et qui nous
était infiniment attaché. Je devais me trouver, avec un
fiacre, à l'entrée de la rue Saint-André-des-Arcs, et l'y
laisser vers les sept heures, pour m'avancer dans l'obscurité à la porte de la Comédie. Manon me promettait
d'inventer des prétextes pour sortir un instant de sa
loge, et de l'employer à descendre pour me rejoindre.
L'exécution du reste était facile. Nous aurions regagné
mon fiacre en un moment, et nous serions sortis de
Paris par le faubourg Saint-Antoine, qui était le chemin de notre nouvelle demeure.

Ce dessein, tout extravagant qu'il était, nous parut
assez bien arrangé. Mais il y avait, dans le fond, une
folle imprudence à s'imaginer que, quand il eût réussi
le plus heureusement du monde, nous eussions jamais
pu nous mettre à couvert des suites. Cependant, nous
nous exposâmes avec la plus téméraire confiance.
Manon partit avec Marcel : c'est ainsi que se nommait
notre valet. Je la vis partir avec douleur. Je lui dis en
l'embrassant : Manon, ne me trompez point ; me
serez-vous fidèle ? Elle se plaignit tendrement de ma
défiance, et elle me renouvela tous ses serments.

Son compte était d'arriver à Paris sur les trois heures.
Je partis après elle. J'allais me morfondre, le reste de
l'après-midi, dans le café de Féré, au pont Saint-
Michel ; j'y demeurai jusqu'à la nuit. J'en sortis alors
pour prendre un fiacre, que je postai, suivant notre
projet, à l'entrée de la rue Saint-André-des-Arcs ;
ensuite je gagnai à pied la porte de la Comédie. Je fus
surpris de n'y pas trouver Marcel, qui devait être à
m'attendre. Je pris patience pendant une heure,
confondu dans une foule de laquais, et l'œil ouvert sur
tous les passants. Enfin, sept heures étant sonnées,
sans que j'eusse rien aperçu qui eût rapport à nos
desseins, je pris un billet de parterre pour aller voir
si je découvrirais Manon et G... M... dans les loges.
Ils n'y étaient ni l'un ni l'autre. Je retournai à la porte,

où je passai encore un quart d'heure, transporté d'impatience et d'inquiétude. N'ayant rien vu paraître, je rejoignis mon fiacre, sans pouvoir m'arrêter à la moindre résolution. Le cocher, m'ayant aperçu, vint quelques pas au-devant de moi pour me dire, d'un air mystérieux, qu'une jolie demoiselle m'attendait depuis une heure dans le carrosse; qu'elle m'avait demandé, à des signes qu'il avait bien reconnus, et qu'ayant appris que je devais revenir, elle avait dit qu'elle ne s'impatienterait point à m'attendre. Je me figurai aussitôt que c'était Manon. J'approchai, mais je vis un joli petit visage, qui n'était pas le sien. C'était une étrangère, qui me demanda d'abord si elle n'avait pas l'honneur de parler à M. le chevalier des Grieux. Je lui dis que c'était mon nom. J'ai une lettre à vous rendre, reprit-elle, qui vous instruira du sujet qui m'amène, et par quel rapport j'ai l'avantage de connaître votre nom. Je la priai de me donner le temps de la lire dans un cabaret voisin. Elle voulut me suivre, et elle me conseilla de demander une chambre à part. De qui vient cette lettre ? lui dis-je en montant : elle me remit à la lecture.

Je reconnus la main de Manon. Voici à peu près ce qu'elle me marquait : G... M... l'avait reçue avec une politesse et une magnificence au-delà de toutes ses idées. Il l'avait comblée de présents; il lui faisait envisager un sort de reine. Elle m'assurait néanmoins qu'elle ne m'oubliait pas dans cette nouvelle splendeur; mais que, n'ayant pu faire consentir G... M... à la mener ce soir à la Comédie, elle remettait à un autre jour le plaisir de me voir; et que, pour me consoler un peu de la peine qu'elle prévoyait que cette nouvelle pouvait me causer, elle avait trouvé le moyen de me procurer une des plus jolies filles de Paris, qui serait la porteuse de son billet. *Signé*, votre fidèle amante, MANON LESCAUT.

Il y avait quelque chose de si cruel et de si insultant pour moi dans cette lettre, que demeurant suspendu quelque temps entre la colère et la douleur, j'entrepris de faire un effort pour oublier éternellement mon ingrate et parjure maîtresse. Je jetai les yeux sur la

fille qui était devant moi : elle était extrêmement jolie, et
j'aurais souhaité qu'elle l'eût été assez pour me rendre
parjure et infidèle à mon tour. Mais je n'y trouvai point
ces yeux fins et languissants, ce port divin, ce teint de la
composition de l'Amour, enfin ce fonds inépuisable
de charmes que la nature avait prodigués à la perfide
Manon. Non, non, lui dis-je en cessant de la regarder,
l'ingrate qui vous envoie savait fort bien qu'elle vous
faisait faire une démarche inutile. Retournez à elle,
et dites-lui de ma part qu'elle jouisse de son crime, et
qu'elle en jouisse, s'il se peut, sans remords. Je l'abandonne sans retour, et je renonce en même temps
à toutes les femmes, qui ne sauraient être aussi aimables
qu'elle, et qui sont, sans doute, aussi lâches et d'aussi
mauvaise foi. Je fus alors sur le point de descendre et de
me retirer, sans prétendre davantage à Manon, et la
jalousie mortelle qui me déchirait le cœur se déguisant
en une morne et sombre tranquillité, je me crus d'autant plus proche de ma guérison que je ne sentais nul
de ces mouvements violents dont j'avais été agité dans
les mêmes occasions. Hélas! j'étais la dupe de l'amour
autant que je croyais l'être de G... M... et de Manon.

Cette fille qui m'avait apporté la lettre, me voyant
prêt à descendre l'escalier, me demanda ce que je voulais donc qu'elle rapportât à M. de G... M... et à la
dame qui était avec lui. Je rentrai dans la chambre à
cette question, et par un changement incroyable à ceux
qui n'ont jamais senti de passions violentes, je me
trouvai, tout d'un coup, de la tranquillité où je croyais
être, dans un transport terrible de fureur. Va, lui dis-je,
rapporte au traître G... M... et à sa perfide maîtresse
le désespoir où ta maudite lettre m'a jeté, mais
apprends-leur qu'ils n'en riront pas longtemps, et
que je les poignarderai tous deux de ma propre main.
Je me jetai sur une chaise. Mon chapeau tomba d'un
côté, et ma canne de l'autre. Deux ruisseaux de
larmes amères commencèrent à couler de mes yeux.
L'accès de rage que je venais de sentir se changea dans
une profonde douleur; je ne fis plus que pleurer, en
poussant des gémissements et des soupirs. Approche,
mon enfant, approche, m'écriai-je en parlant à la

jeune fille; approche, puisque c'est toi qu'on envoie
pour me consoler. Dis-moi si tu sais des consolations
contre la rage et le désespoir, contre l'envie de se
donner la mort à soi-même, après avoir tué deux
perfides qui ne méritent pas de vivre. Oui, approche,
continuai-je, en voyant qu'elle faisait vers moi quelques
pas timides et incertains. Viens essuyer mes larmes,
viens rendre la paix à mon cœur, viens me dire que tu
m'aimes, afin que je m'accoutume à l'être d'une autre
que de mon infidèle. Tu es jolie, je pourrai peut-être
t'aimer à mon tour. Cette pauvre enfant, qui n'avait
pas seize ou dix-sept ans, et qui paraissait avoir plus
de pudeur que ses pareilles, était extraordinairement
surprise d'une si étrange scène. Elle s'approcha
néanmoins pour me faire quelques caresses, mais je
l'écartai aussitôt, en la repoussant de mes mains.
Que veux-tu de moi ? lui dis-je. Ah! tu es une femme,
tu es d'un sexe que je déteste et que je ne puis plus
souffrir. La douceur de ton visage me menace encore
de quelque trahison. Va-t'en et laisse-moi seul ici. Elle
me fit une révérence, sans oser rien dire, et elle se
tourna pour sortir. Je lui criai de s'arrêter. Mais
apprends-moi du moins, repris-je, pourquoi, comment,
à quel dessein tu as été envoyée ici. Comment as-tu
découvert mon nom et le lieu où tu pouvais me trouver?

Elle me dit qu'elle connaissait de longue main
M. de G... M...; qu'il l'avait envoyé chercher à
cinq heures, et qu'ayant suivi le laquais qui l'avait
avertie, elle était allée dans une grande maison, où
elle l'avait trouvé qui jouait au piquet avec une jolie
dame, et qu'ils l'avaient chargée tous deux de me
rendre la lettre qu'elle m'avait apportée, après lui
avoir appris qu'elle me trouverait dans un carrosse au
bout de la rue Saint-André. Je lui demandai s'ils ne
lui avaient rien dit de plus. Elle me répondit, en rou-
gissant, qu'ils lui avaient fait espérer que je la prendrais
pour me tenir compagnie. On t'a trompée, lui dis-je;
ma pauvre fille, on t'a trompée. Tu es une femme, il te
faut un homme; mais il t'en faut un qui soit riche et
heureux, et ce n'est pas ici que tu le peux trouver.
Retourne, retourne à M. de G... M... Il a tout ce qu'il

faut pour être aimé des belles; il a des hôtels meublés
et des équipages à donner. Pour moi, qui n'ai que de
l'amour et de la constance à offrir, les femmes méprisent
ma misère et font leur jouet de ma simplicité.

J'ajoutai mille choses, ou tristes ou violentes, suivant que les passions qui m'agitaient tour à tour
cédaient ou emportaient le dessus. Cependant, à force
de me tourmenter, mes transports diminuèrent assez
pour faire place à quelques réflexions. Je comparai
cette dernière infortune à celles que j'avais déjà
essuyées dans le même genre, et je ne trouvai pas qu'il
y eût plus à désespérer que dans les premières. Je
connaissais Manon; pourquoi m'affliger tant d'un
malheur que j'avais dû prévoir? Pourquoi ne pas
m'employer plutôt à chercher du remède? Il était
encore temps, Je devais du moins n'y pas épargner mes
soins, si je ne voulais avoir à me reprocher d'avoir
contribué, par ma négligence, à mes propres peines.
Je me mis là-dessus à considérer tous les moyens qui
pouvaient m'ouvrir un chemin à l'espérance.

Entreprendre de l'arracher avec violence des mains
de G... M..., c'était un parti désespéré, qui n'était
propre qu'à me perdre, et qui n'avait pas la moindre
apparence de succès. Mais il me semblait que si j'eusse
pu me procurer le moindre entretien avec elle, j'aurais
gagné infailliblement quelque chose sur son cœur.
J'en connaissais si bien tous les endroits sensibles!
J'étais si sûr d'être aimé d'elle! Cette bizarrerie même
de m'avoir envoyé une jolie fille pour me consoler,
j'aurais parié qu'elle venait de son invention, et que
c'était un effet de sa compassion pour mes peines. Je
résolus d'employer toute mon industrie pour la voir.
Parmi quantité de voies que j'examinai l'une après
l'autre, je m'arrêtai à celle-ci. M. de T... avait commencé à me rendre service avec trop d'affection pour
me laisser le moindre doute de sa sincérité et de son
zèle. Je me proposai d'aller chez lui sur-le-champ, et
de l'engager à faire appeler G... M..., sous le prétexte
d'une affaire importante. Il ne me fallait qu'une
demi-heure pour parler à Manon. Mon dessein était
de me faire introduire dans sa chambre même, et je

crus que cela me serait aisé dans l'absence de G... M...
Cette résolution m'ayant rendu plus tranquille, je
payai libéralement la jeune fille, qui était encore avec
moi, et pour lui ôter l'envie de retourner chez ceux
qui me l'avaient envoyée, je pris son adresse, en lui
faisant espérer que j'irais passer la nuit avec elle. Je
montai dans mon fiacre, et je me fis conduire à grand
train chez M. de T... Je fus assez heureux pour l'y
trouver. J'avais eu, là-dessus, de l'inquiétude en
chemin. Un mot le mit au fait de mes peines et du
service que je venais lui demander. Il fut si étonné
d'apprendre que G... M... avait pu séduire Manon,
qu'ignorant que j'avais eu part moi-même à mon
malheur, il m'offrit généreusement de rassembler tous
ses amis, pour employer leurs bras et leurs épées à la
délivrance de ma maîtresse. Je lui fis comprendre que
cet éclat pouvait être pernicieux à Manon et à moi.
Réservons notre sang, lui dis-je, pour l'extrémité. Je
médite une voie plus douce et dont je n'espère pas
moins de succès. Il s'engagea, sans exception, à faire
tout ce que je demanderais de lui; et lui ayant répété
qu'il ne s'agissait que de faire avertir G... M... qu'il
avait à lui parler, et de le tenir dehors une heure ou
deux, il partit aussitôt avec moi pour me satisfaire.

Nous cherchâmes de quel expédient il pourrait se
servir pour l'arrêter si longtemps. Je lui conseillai de
lui écrire d'abord un billet simple, daté d'un cabaret,
par lequel il le prierait de s'y rendre aussitôt, pour
une affaire si importante qu'elle ne pouvait souffrir
de délai. J'observerai, ajoutai-je, le moment de sa
sortie, et je m'introduirai sans peine dans la maison,
n'y étant connu que de Manon et de Marcel, qui est
mon valet. Pour vous, qui serez pendant ce temps-là
avec G... M..., vous pourrez lui dire que cette affaire
importante, pour laquelle vous souhaitez de lui parler,
est un besoin d'argent, que vous venez de perdre le
vôtre au jeu, et que vous avez joué beaucoup plus sur
votre parole, avec le même malheur. Il lui faudra du
temps pour vous mener à son coffre-fort, et j'en aurai
suffisamment pour exécuter mon dessein.

M. de T... suivit cet arrangement de point en point.

Je le laissai dans un cabaret, où il écrivit promptement sa lettre. J'allai me placer à quelques pas de la maison de Manon. Je vis arriver le porteur du message, et G... M... sortir à pied, un moment après, suivi d'un laquais. Lui ayant laissé le temps de s'éloigner de la rue, je m'avançai à la porte de mon infidèle, et malgré toute ma colère, je frappai avec le respect qu'on a pour un temple. Heureusement, ce fut Marcel qui vint m'ouvrir. Je lui fis signe de se taire. Quoique je n'eusse rien à craindre des autres domestiques, je lui demandais tout bas s'il pouvait me conduire dans la chambre où était Manon, sans que je fusse aperçu. Il me dit que cela était aisé en montant doucement par le grand escalier. Allons donc promptement, lui dis-je, et tâche d'empêcher, pendant que j'y serai, qu'il n'y monte personne. Je pénétrai sans obstacle jusqu'à l'appartement.

Manon était occupée à lire. Ce fut là que j'eus lieu d'admirer le caractère de cette étrange fille. Loin d'être effrayée et de paraître timide en m'apercevant, elle ne donna que ces marques légères de surprise dont on n'est pas le maître à la vue d'une personne qu'on croit éloignée. Ah! c'est vous, mon amour, me dit-elle en venant m'embrasser avec sa tendresse ordinaire. Bon Dieu! que vous êtes hardi! Qui vous aurait attendu aujourd'hui dans ce lieu ? Je me dégageai de ses bras, et loin de répondre à ses caresses, je la repoussai avec dédain, et je fis deux ou trois pas en arrière pour m'éloigner d'elle. Ce mouvement ne laissa pas de la déconcerter. Elle demeura dans la situation où elle était et elle jeta les yeux sur moi en changeant de couleur. J'étais, dans le fond, si charmé de la revoir, qu'avec tant de justes sujets de colère, j'avais à peine la force d'ouvrir la bouche pour la quereller. Cependant mon cœur saignait du cruel outrage qu'elle m'avait fait. Je le rappelais vivement à ma mémoire, pour exciter mon dépit, et je tâchais de faire briller dans mes yeux un autre feu que celui de l'amour. Comme je demeurai quelque temps en silence, et qu'elle remarqua mon agitation, je la vis trembler, apparemment par un effet de sa crainte.

Je ne pus soutenir ce spectacle. Ah! Manon, lui dis-je d'un ton tendre, infidèle et parjure Manon! par où commencerai-je à me plaindre ? Je vous vois pâle et tremblante, et je suis encore si sensible à vos moindres peines, que je crains de vous affliger trop par mes reproches. Mais, Manon, je vous le dis, j'ai le cœur percé de la douleur de votre trahison. Ce sont là des coups qu'on ne porte point à un amant, quand on n'a pas résolu sa mort. Voici la troisième fois, Manon, je les ai bien comptées; il est impossible que cela s'oublie. C'est à vous de considérer, à l'heure même, quel parti vous voulez prendre, car mon triste cœur n'est plus à l'épreuve d'un si cruel traitement. Je sens qu'il succombe et qu'il est prêt à se fendre de douleur. Je n'en puis plus, ajoutai-je en m'asseyant sur une chaise; j'ai à peine la force de parler et de me soutenir.

Elle ne me répondit point, mais, lorsque je fus assis, elle se laissa tomber à genoux et elle appuya sa tête sur les miens, en cachant son visage de mes mains. Je sentis en un instant qu'elle les mouillait de ses larmes. Dieux! de quels mouvements n'étais-je point agité! Ah! Manon, Manon, repris-je avec un soupir, il est bien tard de me donner des larmes, lorsque vous avez causé ma mort. Vous affectez une tristesse que vous ne sauriez sentir. Le plus grand de vos maux est sans doute ma présence, qui a toujours été importune à vos plaisirs. Ouvrez les yeux, voyez qui je suis; on ne verse pas des pleurs si tendres pour un malheureux qu'on a trahi, et qu'on abandonne cruellement. Elle baisait mes mains sans changer de posture. Inconstante Manon, repris-je encore, fille ingrate et sans foi, où sont vos promesses et vos serments ? Amante mille fois volage et cruelle, qu'as-tu fait de cet amour que tu me jurais encore aujourd'hui ? Juste Ciel, ajoutai-je, est-ce ainsi qu'une infidèle se rit de vous, après vous avoir attesté si saintement ? C'est donc le parjure qui est récompensé! Le désespoir et l'abandon sont pour la constance et la fidélité.

Ces paroles furent accompagnées d'une réflexion si amère, que j'en laissai échapper malgré moi quelques larmes. Manon s'en aperçut au changement de ma voix. Elle rompit enfin le silence. Il faut bien que je sois coupable, me dit-elle tristement, puisque j'ai pu vous causer tant de douleur et d'émotion; mais que le Ciel me punisse si j'ai cru l'être, ou si j'ai eu la pensée de le devenir! Ce discours me parut si dépourvu de sens et de bonne foi, que je ne pus me défendre d'un vif mouvement de colère. Horrible dissimulation! m'écriai-je. Je vois mieux que jamais que tu n'es qu'une coquine et une perfide. C'est à présent que je connais ton misérable caractère. Adieu, lâche créature, continuai-je en me levant; j'aime mieux mourir mille fois que d'avoir désormais le moindre commerce avec toi. Que le Ciel me punisse moi-même si je t'honore jamais du moindre regard! Demeure avec ton nouvel amant, aime-le, déteste-moi, renonce à l'honneur, au bon sens; je m'en ris, tout m'est égal.

Elle fut si épouvantée de ce transport, que, demeurant à genoux près de la chaise d'où je m'étais levé, elle me regardait en tremblant et sans oser respirer. Je fis encore quelques pas vers la porte, en tournant la tête, et tenant les yeux fixés sur elle. Mais il aurait fallu que j'eusse perdu tous sentiments d'humanité pour m'endurcir contre tant de charmes. J'étais si éloigné d'avoir cette force barbare que, passant tout d'un coup à l'extrémité opposée, je retournai vers elle, ou plutôt je m'y précipitai sans réflexion. Je la pris entre mes bras, je lui donnai mille tendres baisers. Je lui demandai pardon de mon emportement. Je confessai que j'étais un brutal, et que je ne méritais pas le bonheur d'être aimé d'une fille comme elle. Je la fis asseoir, et, m'étant mis à genoux à mon tour, je la conjurai de m'écouter en cet état. Là, tout ce qu'un amant soumis et passionné peut imaginer de plus respectueux et de plus tendre, je le renfermai en peu de mots dans mes excuses. Je lui demandai en grâce de prononcer qu'elle me pardonnait. Elle laissa tomber ses bras sur mon cou, en disant que c'était elle-même qui avait besoin de ma bonté pour me faire oublier les chagrins qu'elle me causait, et qu'elle commençait à craindre avec raison que je ne goûtasse point ce qu'elle avait à me dire

pour se justifier. Moi! interrompis-je aussitôt, ah!
je ne vous demande point de justifications. J'approuve
tout ce que vous avez fait. Ce n'est point à moi d'exiger
des raisons de votre conduite ; trop content, trop heureux, si ma chère Manon ne m'ôte point la tendresse de
son cœur ! Mais, continuai-je, en réfléchissant sur
l'état de mon sort, toute-puissante Manon ! vous qui
faites à votre gré mes joies et mes douleurs, après
vous avoir satisfait par mes humiliations et par les
marques de mon repentir, ne me sera-t-il point permis
de vous parler de ma tristesse et de mes peines ?
Apprendrai-je de vous ce qu'il faut que je devienne
aujourd'hui, et si c'est sans retour que vous allez
signer ma mort, en passant la nuit avec mon rival ?

Elle fut quelque temps à méditer sa réponse : Mon
Chevalier, me dit-elle, en reprenant un air tranquille,
si vous vous étiez d'abord expliqué si nettement, vous
vous seriez épargné bien du trouble et à moi une scène
bien affligeante. Puisque votre peine ne vient que de
votre jalousie, je l'aurais guérie en m'offrant à vous
suivre sur-le-champ au bout du monde. Mais je me suis
figuré que c'était la lettre que je vous ai écrite sous
les yeux de M. de G... M... et la fille que nous vous
avons envoyée qui causaient votre chagrin. J'ai cru
que vous auriez pu regarder ma lettre comme une
raillerie et cette fille, en vous imaginant qu'elle était
allée vous trouver de ma part, comme une déclaration
que je renonçais à vous pour m'attacher à G... M...
C'est cette pensée qui m'a jetée tout d'un coup dans
la consternation, car, quelque innocente que je fusse,
je trouvais, en y pensant, que les apparences ne
m'étaient pas favorables. Cependant, continua-t-elle,
je veux que vous soyez mon juge, après que je vous
aurai expliqué la vérité du fait.

Elle m'apprit alors tout ce qui lui était arrivé depuis
qu'elle avait trouvé G... M..., qui l'attendait dans le
lieu où nous étions. Il l'avait reçue effectivement
comme la première princesse du monde. Il lui avait
montré tous les appartements, qui étaient d'un goût
et d'une propreté admirables. Il lui avait compté
dix mille livres dans son cabinet, et il y avait ajouté

quelques bijoux, parmi lesquels étaient le collier et les
bracelets de perles qu'elle avait déjà eus de son père.
Il l'avait menée de là dans un salon qu'elle n'avait pas
encore vu, où elle avait trouvé une collation exquise.
Il l'avait fait servir par les nouveaux domestiques qu'il
avait pris pour elle, en leur ordonnant de la regarder
désormais comme leur maîtresse. Enfin, il lui avait fait
voir le carrosse, les chevaux et tout le reste de ses présents ; après quoi, il lui avait proposé une partie de
jeu, pour attendre le souper. Je vous avoue, continua-
t-elle, que j'ai été frappée de cette magnificence. J'ai
fait réflexion que ce serait dommage de nous priver
tout d'un coup de tant de biens, en me contentant
d'emporter les dix mille francs et les bijoux, que c'était
une fortune toute faite pour vous et pour moi, et que
nous pourrions vivre agréablement aux dépens de
G... M... Au lieu de lui proposer la Comédie, je me
suis mis dans la tête de le sonder sur votre sujet, pour
pressentir quelles facilités nous aurions à nous voir, en
supposant l'exécution de mon système. Je l'ai trouvé
d'un caractère fort traitable. Il m'a demandé ce que je
pensais de vous, et si je n'avais pas eu quelque regret
à vous quitter. Je lui ai dit que vous étiez si aimable
et que vous en aviez toujours usé si honnêtement avec
moi, qu'il n'était pas naturel que je pusse vous haïr.
Il a confessé que vous aviez du mérite, et qu'il s'était
senti porté à désirer votre amitié. Il a voulu savoir de
quelle manière je croyais que vous prendriez mon
départ, surtout lorsque vous viendriez à savoir que
j'étais entre ses mains. Je lui ai répondu que la date
de notre amour était déjà si ancienne qu'il avait eu
le temps de se refroidir un peu, que vous n'étiez pas
d'ailleurs fort à votre aise, et que vous ne regarderiez
peut-être pas ma perte comme un grand malheur,
parce qu'elle vous déchargerait d'un fardeau qui vous
pesait sur les bras. J'ai ajouté qu'étant tout à fait
convaincue que vous agiriez pacifiquement, je n'avais
pas fait difficulté de vous dire que je venais à Paris
pour quelques affaires, que vous y aviez consenti et
qu'y étant venu vous-même, vous n'aviez pas paru
extrêmement inquiet, lorsque je vous avais quitté. Si je

croyais, m'a-t-il dit, qu'il fût d'humeur à bien vivre
avec moi, je serais le premier à lui offrir mes services
et mes civilités. Je l'ai assuré que, du caractère dont
je vous connaissais, je ne doutais point que vous n'y
répondissiez honnêtement, surtout, lui ai-je dit, s'il
pouvait vous servir dans vos affaires qui étaient fort
dérangées depuis que vous étiez mal avec votre famille.
Il m'a interrompue, pour me protester qu'il vous
rendrait tous les services qui dépendraient de lui, et que,
si vous vouliez même vous embarquer dans un autre
amour, il vous procurerait une jolie maîtresse, qu'il
avait quittée pour s'attacher à moi. J'ai applaudi
à son idée, ajouta-t-elle, pour prévenir plus parfaitement tous ses soupçons, et me confirmant de plus en
plus dans mon projet, je ne souhaitais que de pouvoir
trouver le moyen de vous en informer, de peur que
vous ne fussiez trop alarmé lorsque vous me verriez
manquer à notre assignation. C'est dans cette vue que
je lui ai proposé de vous envoyer cette nouvelle maîtresse dès le soir même, afin d'avoir une occasion de
vous écrire; j'étais obligée d'avoir recours à cette
adresse, parce que je ne pouvais espérer qu'il me
laissât libre un moment. Il a ri de ma proposition.
Il a appelé son laquais, et lui ayant demandé s'il
pourrait retrouver sur-le-champ son ancienne maîtresse, il l'a envoyé de côté et d'autre pour la chercher.
Il s'imaginait que c'était à Chaillot qu'il fallait qu'elle
allât vous trouver, mais je lui ai appris qu'en vous
quittant je vous avais promis de vous rejoindre à la
Comédie, ou que, si quelque raison m'empêchait d'y
aller, vous vous étiez engagé à m'attendre dans un
carrosse au bout de la rue S[aint]-André; qu'il valait
mieux, par conséquent, vous envoyer là votre nouvelle amante, ne fût-ce que pour vous empêcher de
vous y morfondre pendant toute la nuit. Je lui ai dit
encore qu'il était à propos de vous écrire un mot pour
vous avertir de cet échange, que vous auriez peine à
comprendre sans cela. Il y a consenti, mais j'ai été
obligée d'écrire en sa présence, et je me suis bien
gardée de m'expliquer trop ouvertement dans ma lettre.
Voilà, ajouta Manon, de quelle manière les choses se

sont passées. Je ne vous déguise rien, ni de ma conduite,
ni de mes desseins. La jeune fille est venue, je l'ai
trouvée jolie, et comme je ne doutais point que mon
absence ne vous causât de la peine, c'était sincèrement
que je souhaitais qu'elle pût servir à vous désennuyer
quelques moments, car la fidélité que je souhaite de
vous est celle du cœur. J'aurais été ravie de pouvoir
vous envoyer Marcel, mais je n'ai pu me procurer un
moment pour l'instruire de ce que j'avais à vous faire
savoir. Elle conclut enfin son récit, en m'apprenant
l'embarras où G... M... s'était trouvé en recevant le
billet de M. de T... Il a balancé, me dit-elle, s'il devait
me quitter, et il m'a assuré que son retour ne tar-
derait point. C'est ce qui fait que je ne vous vois point
ici sans inquiétude, et que j'ai marqué de la surprise à
votre arrivée.

J'écoutai ce discours avec beaucoup de patience.
J'y trouvais assurément quantité de traits cruels et
mortifiants pour moi, car le dessein de son infidélité
était si clair qu'elle n'avait pas même eu le soin de me
le déguiser. Elle ne pouvait espérer que G... M... la
laissât, toute la nuit, comme une vestale. C'était donc
avec lui qu'elle comptait de la passer. Quel aveu pour
un amant! Cependant, je considérai que j'étais cause
en partie de sa faute, par la connaissance que je lui
avais donnée d'abord des sentiments que G... M...
avait pour elle, et par la complaisance que j'avais eue
d'entrer aveuglément dans le plan téméraire de son
aventure. D'ailleurs, par un tour naturel de génie qui
m'est particulier, je fus touché de l'ingénuité de son
récit, et de cette manière bonne et ouverte avec laquelle
elle me racontait jusqu'aux circonstances dont j'étais
le plus offensé. Elle pèche sans malice, disais-je en
moi-même; elle est légère et imprudente, mais elle est
droite et sincère. Ajoutez que l'amour suffisait seul
pour me fermer les yeux sur toutes ses fautes. J'étais
trop satisfait de l'espérance de l'enlever le soir même
à mon rival. Je lui dis néanmoins : Et la nuit, avec qui
l'auriez-vous passée? Cette question, que je lui fis
tristement, l'embarrassa. Elle ne me répondit que par
des mais et des si interrompus. J'eus pitié de sa peine,

et rompant ce discours, je lui déclarai naturellement
que j'attendais d'elle qu'elle me suivît à l'heure même.
Je le veux bien, me dit-elle; mais vous n'approuvez donc pas mon projet ? Ah! n'est-ce pas assez,
repartis-je, que j'approuve tout ce que vous avez
fait jusqu'à présent ? Quoi! nous n'emporterons
pas même les dix mille francs ? répliqua-t-elle. Il me
les a donnés. Ils sont à moi. Je lui conseillai d'abandonner tout, et de ne penser qu'à nous éloigner promptement, car, quoiqu'il y eût à peine une demi-heure
que j'étais avec elle, je craignais le retour de G... M...
Cependant, elle me fit de si pressantes instances pour
me faire consentir à ne pas sortir les mains vides, que
je crus lui devoir accorder quelque chose après avoir
tant obtenu d'elle.

Dans le temps que nous nous préparions au départ,
j'entendis frapper à la porte de la rue. Je ne doutai
nullement que ce ne fût G... M..., et dans le trouble
où cette pensée me jeta, je dis à Manon que c'était
un homme mort s'il paraissait. Effectivement, je n'étais
pas assez revenu de mes transports pour me modérer à
sa vue. Marcel finit ma peine en m'apportant un billet
qu'il avait reçu pour moi à la porte. Il était de M. de
T... Il me marquait que, G... M... étant allé lui chercher de l'argent à sa maison, il profitait de son absence
pour me communiquer une pensée fort plaisante : qu'il
lui semblait que je ne pouvais me venger plus agréablement de mon rival qu'en mangeant son souper et
en couchant, cette nuit même, dans le lit qu'il espérait
d'occuper avec ma maîtresse; que cela lui paraissait
assez facile, si je pouvais m'assurer de trois ou
quatre hommes qui eussent assez de résolution pour
l'arrêter dans la rue, et de fidélité pour le garder à vue
jusqu'au lendemain; que, pour lui, il promettait de
l'amuser encore une heure pour le moins, par des
raisons qu'il tenait prêtes pour son retour. Je montrai
ce billet à Manon, et je lui appris de quelle ruse je
m'étais servi pour m'introduire librement chez elle.
Mon invention et celle de M. de T... lui parurent
admirables. Nous en rîmes à notre aise pendant
quelques moments. Mais, lorsque je lui parlai de la

dernière comme d'un badinage, je fus surpris qu'elle
insistât sérieusement à me la proposer comme une
chose dont l'idée la ravissait. En vain lui demandai-je
où elle voulait que je trouvasse, tout d'un coup, des
gens propres à arrêter G... M... et à le garder fidèle-
ment. Elle me dit qu'il fallait du moins tenter, puisque
M. de T... nous garantissait encore une heure, et pour
réponse à mes autres objections, elle me dit que je
faisais le tyran et que je n'avais pas de complaisance
pour elle. Elle ne trouvait rien de si joli que ce projet.
Vous aurez son couvert à souper, me répétait-elle, vous
coucherez dans ses draps, et, demain, de grand matin,
vous enlèverez sa maîtresse et son argent. Vous serez
bien vengé du père et du fils.

Je cédai à ses instances, malgré les mouvements
secrets de mon cœur qui semblaient me présager une
catastrophe malheureuse. Je sortis, dans le dessein de
prier deux ou trois gardes du corps, avec lesquels
Lescaut m'avait mis en liaison, de se charger du soin
d'arrêter G... M... Je n'en trouvai qu'un au logis, mais
c'était un homme entreprenant, qui n'eut pas plutôt
su de quoi il était question qu'il m'assura du succès. Il
me demanda seulement dix pistoles, pour récompenser trois soldats aux gardes, qu'il prit la résolution
d'employer, en se mettant à leur tête. Je le priai de ne
pas perdre de temps. Il les assembla en moins d'un
quart d'heure. Je l'attendais à sa maison, et lorsqu'il
fut de retour avec ses associés, je le conduisis moi-
même au coin d'une rue par laquelle G... M... devait
nécessairement rentrer dans celle de Manon. Je lui
recommandai de ne le pas maltraiter, mais de le garder
si étroitement jusqu'à sept heures du matin, que je
pusse être assuré qu'il ne lui échapperait pas. Il me
dit que son dessein était de le conduire à sa chambre et
de l'obliger à se déshabiller, ou même à se coucher
dans son lit, tandis que lui et ses trois braves passe-
raient la nuit à boire et à jouer. Je demeurai avec eux
jusqu'au moment où je vis paraître G... M..., et je
me retirai alors quelques pas au-dessous, dans un
endroit obscur, pour être témoin d'une scène si extraordinaire. Le garde du corps l'aborda, le pistolet au

poing, et lui expliqua civilement qu'il n'en voulait ni
à sa vie ni à son argent, mais que, s'il faisait la moindre
difficulté de le suivre, ou s'il jetait le moindre cri, il
allait lui brûler la cervelle. G... M..., le voyant soutenu
par trois soldats, et craignant sans doute la bourre du
pistolet, ne fit pas de résistance. Je le vis emmener
comme un mouton.

Je retournai aussitôt chez Manon, et pour ôter tout
soupçon aux domestiques, je lui dis, en entrant, qu'il
ne fallait pas attendre M. de G... M... pour souper,
qu'il lui était survenu des affaires qui le retenaient
malgré lui, et qu'il m'avait prié de venir lui en faire
ses excuses et souper avec elle, ce que je regardais
comme une grande faveur auprès d'une si belle dame.
Elle seconda fort adroitement mon dessein. Nous nous
mîmes à table. Nous y prîmes un air grave, pendant que
les laquais demeurèrent à nous servir. Enfin, les ayant
congédiés, nous passâmes une des plus charmantes
soirées de notre vie. J'ordonnai en secret à Marcel de
chercher un fiacre et de l'avertir de se trouver le lendemain à la porte, avant six heures du matin. Je
feignis de quitter Manon vers minuit; mais étant
rentré doucement, par le secours de Marcel, je me
préparai à occuper le lit de G... M..., comme j'avais
rempli sa place à table. Pendant ce temps-là, notre
mauvais génie travaillait à nous perdre. Nous étions
dans le délire du plaisir, et le glaive était suspendu sur
nos têtes. Le fil qui le soutenait allait se rompre. Mais,
pour faire mieux entendre toutes les circonstances de
notre ruine, il faut en éclaircir la cause.

G... M... était suivi d'un laquais, lorsqu'il avait été
arrêté par le garde du corps. Ce garçon, effrayé de
l'aventure de son maître, retourna en fuyant sur ses
pas, et la première démarche qu'il fit, pour le secourir,
fut d'aller avertir le vieux G... M... de ce qui venait
d'arriver. Une si fâcheuse nouvelle ne pouvait manquer
de l'alarmer beaucoup : il n'avait que ce fils, et sa
vivacité était extrême pour son âge. Il voulut savoir
d'abord du laquais tout ce que son fils avait fait
l'après-midi, s'il s'était querellé avec quelqu'un, s'il
avait pris part au démêlé d'un autre, s'il s'était trouvé

dans quelque maison suspecte. Celui-ci, qui croyait
son maître dans le dernier danger et qui s'imaginait ne
devoir plus rien ménager pour lui procurer du secours,
découvrit tout ce qu'il savait de son amour pour
Manon et la dépense qu'il avait faite pour elle, la
manière dont il avait passé l'après-midi dans sa maison
jusqu'aux environs de neuf heures, sa sortie et le
malheur de son retour. C'en fut assez pour faire soupçonner au vieillard que l'affaire de son fils était une
querelle d'amour. Quoiqu'il fût au moins dix heures
et demie du soir, il ne balança point à se rendre aussitôt
chez M. le Lieutenant de Police. Il le pria de faire
donner des ordres particuliers à toutes les escouades
du guet, et lui en ayant demandé une pour se faire
accompagner, il courut lui-même vers la rue où son
fils avait été arrêté. Il visita tous les endroits de la ville
où il espérait de le pouvoir trouver, et n'ayant pu
découvrir ses traces, il se fit conduire enfin à la maison
de sa maîtresse, où il se figura qu'il pouvait être
retourné.

J'allais me mettre au lit, lorsqu'il arriva. La porte
de la chambre étant fermée, je n'entendis point frapper à celle de la rue ; mais il entra suivi de deux archers,
et s'étant informé inutilement de ce qu'était devenu
son fils, il lui prit envie de voir sa maîtresse, pour
tirer d'elle quelque lumière. Il monte à l'appartement,
toujours accompagné de ses archers. Nous étions prêts
à nous mettre au lit. Il ouvre la porte, et il nous glace
le sang par sa vue. O Dieu ! c'est le vieux G... M...,
dis-je à Manon. Je saute sur mon épée ; elle était malheureusement embarrassée dans mon ceinturon. Les
archers, qui virent mon mouvement, s'approchèrent
aussitôt pour me la saisir. Un homme en chemise est
sans résistance. Ils m'ôtèrent tous les moyens de me
défendre.

G... M..., quoique troublé par ce spectacle, ne tarda
point à me reconnaître. Il remit encore plus aisément
Manon. Est-ce une illusion ? nous dit-il gravement ; ne
vois-je point le chevalier des Grieux et Manon Lescaut ? J'étais si enragé de honte et de douleur, que je ne
lui fis pas de réponse. Il parut rouler, pendant quelque

temps, diverses pensées dans sa tête, et comme si elles
eussent allumé tout d'un coup sa colère, il s'écria en
s'adressant à moi : Ah! malheureux, je suis sûr que
tu as tué mon fils! Cette injure me piqua vivement.
Vieux scélérat, lui répondis-je avec fierté, si j'avais eu
à tuer quelqu'un de ta famille, c'est par toi que j'aurais commencé. Tenez-le bien, dit-il aux archers. Il
faut qu'il me dise des nouvelles de mon fils; je le ferai
pendre demain, s'il ne m'apprend tout à l'heure ce
qu'il en a fait. Tu me feras pendre ? repris-je. Infâme!
ce sont tes pareils qu'il faut chercher au gibet.
Apprends que je suis d'un sang plus noble et plus
pur que le tien. Oui, ajoutai-je, je sais ce qui est arrivé
à ton fils, et si tu m'irrites davantage, je le ferai
étrangler avant qu'il soit demain, et je te promets le
même sort après lui.

Je commis une imprudence en lui confessant que je
savais où était son fils; mais l'excès de ma colère me
fit faire cette indiscrétion. Il appela aussitôt cinq ou
six autres archers, qui l'attendaient à la porte, et il
leur ordonna de s'assurer de tous les domestiques de
la maison. Ah! monsieur le chevalier, reprit-il d'un
ton railleur, vous savez où est mon fils et vous le ferez
étrangler, dites-vous ? Comptez que nous y mettrons
bon ordre. Je sentis aussitôt la faute que j'avais commise. Il s'approcha de Manon, qui était assise sur
le lit en pleurant; il lui dit quelques galanteries iro-
niques sur l'empire qu'elle avait sur le père et sur le
fils, et sur le bon usage qu'elle en faisait. Ce vieux
monstre d'incontinence voulut prendre quelques fami-
liarités avec elle. Garde-toi de la toucher! m'écriai-je,
il n'y aurait rien de sacré qui te pût sauver de mes
mains. Il sortit en laissant trois archers dans la
chambre, auxquels il ordonna de nous faire prendre
promptement nos habits.

Je ne sais quels étaient alors ses desseins sur nous.
Peut-être eussions-nous obtenu la liberté en lui apprenant où était son fils. Je méditais, en m'habillant, si
ce n'était pas le meilleur parti. Mais, s'il était dans
cette disposition en quittant notre chambre, elle était
bien changée lorsqu'il y revint. Il était allé interroger

les domestiques de Manon, que les archers avaient
arrêtés. Il ne put rien apprendre de ceux qu'elle avait
reçus de son fils, mais, lorsqu'il sut que Marcel nous
avait servis auparavant, il résolut de le faire parler
en l'intimidant par des menaces.

C'était un garçon fidèle, mais simple et grossier.
Le souvenir de ce qu'il avait fait à l'Hôpital, pour
délivrer Manon, joint à la terreur que G... M... lui
inspirait, fit tant d'impression sur son esprit faible
qu'il s'imagina qu'on allait le conduire à la potence
ou sur la roue. Il promit de découvrir tout ce qui était
venu à sa connaissance, si l'on voulait lui sauver la
vie. G... M... se persuada là-dessus qu'il y avait quelque
chose, dans nos affaires, de plus sérieux et de plus
criminel qu'il n'avait eu lieu jusque-là de se le figurer.
Il offrit à Marcel, non seulement la vie, mais des
récompenses pour sa confession. Ce malheureux lui
apprit une partie de notre dessein, sur lequel nous
n'avions pas fait difficulté de nous entretenir devant
lui, parce qu'il devait y entrer pour quelque chose. Il
est vrai qu'il ignorait entièrement les changements
que nous y avions faits à Paris; mais il avait été
informé, en partant de Chaillot, du plan de l'entreprise et du rôle qu'il y devait jouer. Il lui déclara
donc que notre vue était de duper son fils, et que
Manon devait recevoir, ou avait déjà reçu, dix mille
francs, qui, selon notre projet, ne retourneraient jamais
aux héritiers de la maison de G... M...

Après cette découverte, le vieillard emporté remonta
brusquement dans notre chambre. Il passa, sans parler, dans le cabinet, où il n'eut pas de peine à trouver
la somme et les bijoux. Il revint à nous avec un visage
enflammé, et, nous montrant ce qu'il lui plut de
nommer notre larcin, il nous accabla de reproches
outrageants. Il fit voir de près, à Manon, le collier
de perles et les bracelets. Les reconnaissez-vous ? lui
dit-il avec un sourire moqueur. Ce n'était pas la
première fois que vous les eussiez vus. Les mêmes,
sur ma foi. Ils étaient de votre goût, ma belle; je me
le persuade aisément. Les pauvres enfants! ajouta-t-il.
Ils sont bien aimables, en effet, l'un et l'autre; mais

ils sont un peu fripons. Mon cœur crevait de rage à
ce discours insultant. J'aurais donné, pour être libre
un moment... Juste Ciel! que n'aurais-je pas donné!
Enfin, je me fis violence pour lui dire, avec une modération qui n'était qu'un raffinement de fureur : Finissons, monsieur, ces insolentes railleries. De quoi est-il
question ? Voyons, que prétendez-vous faire de nous ?
Il est question, monsieur le chevalier, me répondit-il
d'aller de ce pas au Châtelet. Il fera jour demain;
nous verrons plus clair dans nos affaires, et j'espère
que vous me ferez la grâce, à la fin, de m'apprendre
où est mon fils.

Je compris, sans beaucoup de réflexions, que c'était
une chose d'une terrible conséquence pour nous d'être
une fois renfermés au Châtelet. J'en prévis, en tremblant, tous les dangers. Malgré toute ma fierté, je
reconnus qu'il fallait plier sous le poids de ma fortune et flatter mon plus cruel ennemi, pour en obtenir
quelque chose par la soumission. Je le priai, d'un ton
honnête, de m'écouter un moment. Je me rends justice, monsieur, lui dis-je. Je confesse que la jeunesse
m'a fait commettre de grandes fautes, et que vous en êtes
assez blessé pour vous plaindre. Mais, si vous connais-
sez la force de l'amour, si vous pouvez juger de ce
que souffre un malheureux jeune homme à qui l'on
enlève tout ce qu'il aime, vous me trouverez peut-être
pardonnable d'avoir cherché le plaisir d'une petite
vengeance, ou du moins, vous me croirez assez puni
par l'affront que je viens de recevoir. Il n'est besoin
ni de prison ni de supplice pour me forcer de vous
découvrir où est Monsieur votre fils. Il est en sûreté.
Mon dessein n'a pas été de lui nuire ni de vous offenser.
Je suis prêt à vous nommer le lieu où il passe tranquillement la nuit, si vous me faites la grâce de nous
accorder la liberté. Ce vieux tigre, loin d'être touché
de ma prière, me tourna le dos en riant. Il lâcha
seulement quelques mots, pour me faire comprendre
qu'il savait notre dessein jusqu'à l'origine. Pour ce
qui regardait son fils, il ajouta brutalement qu'il se
retrouverait assez, puisque je ne l'avais pas assassiné.
Conduisez-les au Petit-Châtelet, dit-il aux archers, et

prenez garde que le Chevalier ne vous échappe. C'est
un rusé, qui s'est déjà sauvé de Saint-Lazare.

Il sortit, et me laissa dans l'état que vous pouvez
vous imaginer. O Ciel! m'écriai-je, je recevrai avec
soumission tous les coups qui viennent de ta main,
mais qu'un malheureux coquin ait le pouvoir de me
traiter avec cette tyrannie, c'est ce qui me réduit au
dernier désespoir. Les archers nous prièrent de ne pas
les faire attendre plus longtemps. Ils avaient un carrosse à la porte. Je tendis la main à Manon pour
descendre. Venez, ma chère reine, lui dis-je, venez
vous soumettre à toute la rigueur de notre sort. Il
plaira peut-être au Ciel de nous rendre quelque jour
plus heureux.

Nous partîmes dans le même carrosse. Elle se mit
dans mes bras. Je ne lui avais pas entendu prononcer
un mot depuis le premier moment de l'arrivée de
G... M...; mais, se trouvant seule alors avec moi, elle
me dit mille tendresses en se reprochant d'être la
cause de mon malheur. Je l'assurai que je ne me plain-
drais jamais de mon sort, tant qu'elle ne cesserait pas
de m'aimer. Ce n'est pas moi qui suis à plaindre,
continuai-je. Quelques mois de prison ne m'effraient
nullement, et je préférerai toujours le Châtelet à
Saint-Lazare. Mais c'est pour toi, ma chère âme, que
mon cœur s'intéresse. Quel sort pour une créature si
charmante! Ciel, comment traitez-vous avec tant de
rigueur le plus parfait de vos ouvrages ? Pourquoi ne
sommes-nous pas nés, l'un et l'autre, avec des qualités conformes à notre misère ? Nous avons reçu de
l'esprit, du goût, des sentiments. Hélas! quel triste
usage en faisons-nous, tandis que tant d'âmes basses
et dignes de notre sort jouissent de toutes les faveurs
de la fortune! Ces réflexions me pénétraient de douleur; mais ce n'était rien en comparaison de celles qui
regardaient l'avenir, car je séchais de crainte pour
Manon. Elle avait déjà été à l'Hôpital, et, quand elle
en fût sortie par la bonne porte, je savais que les
rechutes en ce genre étaient d'une conséquence extrêmement dangereuse. J'aurais voulu lui exprimer mes
frayeurs; j'appréhendais de lui en causer trop. Je trem-

blais pour elle, sans oser l'avertir du danger, et je l'embrassais en soupirant, pour l'assurer, du moins, de mon amour, qui était presque le seul sentiment que j'osasse exprimer. Manon, lui dis-je, parlez sincèrement; m'aimerez-vous toujours ? Elle me répondit qu'elle était bien malheureuse que j'en pusse douter. Hé bien, repris-je, je n'en doute point, et je veux braver tous nos ennemis avec cette assurance. J'emploierai ma famille pour sortir du Châtelet; et tout mon sang ne sera utile à rien si je ne vous en tire pas aussitôt que je serai libre.

Nous arrivâmes à la prison. On nous mit chacun dans un lieu séparé. Ce coup me fut moins rude, parce que je l'avais prévu. Je recommandai Manon au concierge, en lui apprenant que j'étais un homme de quelque distinction, et lui promettant une récompense considérable. J'embrassai ma chère maîtresse, avant que de la quitter. Je la conjurai de ne pas s'affliger excessivement et de ne rien craindre tant que je serais au monde. Je n'étais pas sans argent; je lui en donnai une partie et je payai au concierge, sur ce qui me restait, un mois de grosse pension d'avance pour elle et pour moi.

Mon argent eut un fort bon effet. On me mit dans une chambre proprement meublée, et l'on m'assura que Manon en avait une pareille. Je m'occupai aussitôt des moyens de hâter ma liberté. Il était clair qu'il n'y avait rien d'absolument criminel dans mon affaire, et supposant même que le dessein de notre vol fût prouvé par la déposition de Marcel, je savais fort bien qu'on ne punit point les simples volontés. Je résolus d'écrire promptement à mon père, pour le prier de venir en personne à Paris. J'avais bien moins de honte, comme je l'ai dit, d'être au Châtelet qu'à Saint-Lazare; d'ailleurs, quoique je conservasse tout le respect dû à l'autorité paternelle, l'âge et l'expérience avaient diminué beaucoup ma timidité. J'écrivis donc, et l'on ne fit pas difficulté, au Châtelet, de laisser sortir ma lettre; mais c'était une peine que j'aurais pu m'épargner, si j'avais su que mon père devait arriver le lendemain à Paris.

Il avait reçu celle que je lui avais écrite huit jours
auparavant. Il en avait ressenti une joie extrême ; mais,
de quelque espérance que je l'eusse flatté au sujet de
ma conversion, il n'avait pas cru devoir s'arrêter tout
à fait à mes promesses. Il avait pris le parti de venir
s'assurer de mon changement par ses yeux, et de régler
sa conduite sur la sincérité de mon repentir. Il arriva
le lendemain de mon emprisonnement. Sa première
visite fut celle qu'il rendit à Tiberge, à qui je l'avais
prié d'adresser sa réponse. Il ne put savoir de lui ni
ma demeure ni ma condition présente ; il en apprit
seulement mes principales aventures, depuis que je
m'étais échappé de Saint-Sulpice. Tiberge lui parla
fort avantageusement des dispositions que je lui avais
marquées pour le bien, dans notre dernière entrevue.
Il ajouta qu'il me croyait entièrement dégagé de
Manon, mais qu'il était surpris, néanmoins, que je ne
lui eusse pas donné de mes nouvelles depuis huit jours.
Mon père n'était pas dupe ; il comprit qu'il y avait
quelque chose qui échappait à la pénétration de
Tiberge, dans le silence dont il se plaignait, et il
employa tant de soins pour découvrir mes traces que,
deux jours après son arrivée, il apprit que j'étais au
Châtelet.

Avant que de recevoir sa visite, à laquelle j'étais
fort éloigné de m'attendre sitôt, je reçus celle de
M. le Lieutenant général de Police, ou pour expliquer
les choses par leur nom, je subis l'interrogatoire. Il
me fit quelques reproches, mais ils n'étaient ni durs
ni désobligeants. Il me dit, avec douceur, qu'il plaignait ma mauvaise conduite ; que j'avais manqué de
sagesse en me faisant un ennemi tel que M. de G... M... ;
qu'à la vérité il était aisé de remarquer qu'il y avait,
dans mon affaire, plus d'imprudence et de légèreté que
de malice ; mais que c'était néanmoins la seconde fois
que je me trouvais sujet à son tribunal, et qu'il avait
espéré que je fusse devenu plus sage, après avoir pris
deux ou trois mois de leçons à Saint-Lazare. Charmé
d'avoir affaire à un juge raisonnable, je m'expliquai
avec lui d'une manière si respectueuse et si modérée,
qu'il parut extrêmement satisfait de mes réponses. Il

me dit que je ne devais pas me livrer trop au chagrin, et qu'il se sentait disposé à me rendre service, en faveur de ma naissance et de ma jeunesse. Je me hasardai à lui recommander Manon, et à lui faire l'éloge de sa douceur et de son bon naturel. Il me répondit, en riant, qu'il ne l'avait point encore vue, mais qu'on la représentait comme une dangereuse personne. Ce mot excita tellement ma tendresse que je lui dis mille choses passionnées pour la défense de ma pauvre maîtresse, et je ne pus m'empêcher de répandre quelques larmes. Il ordonna qu'on me reconduisît à ma chambre. Amour, amour! s'écria ce grave magistrat en me voyant sortir, ne te réconcilieras-tu jamais avec la sagesse ?

J'étais à m'entretenir tristement de mes idées, et à réfléchir sur la conversation que j'avais eue avec M. le Lieutenant général de Police, lorsque j'entendis ouvrir la porte de ma chambre : c'était mon père. Quoique je dusse être à demi préparé à cette vue, puisque je m'y attendais quelques jours plus tard, je ne laissai pas d'en être frappé si vivement que je me serais précipité au fond de la terre, si elle s'était entrouverte à mes pieds. J'allai l'embrasser, avec toutes les marques d'une extrême confusion. Il s'assit sans que ni lui ni moi eussions encore ouvert la bouche.

Comme je demeurais debout, les yeux baissés et la tête découverte : Asseyez-vous, monsieur, me dit-il gravement, asseyez-vous. Grâce au scandale de votre libertinage et de vos friponneries, j'ai découvert le lieu de votre demeure. C'est l'avantage d'un mérite tel que le vôtre de ne pouvoir demeurer caché. Vous allez à la renommée par un chemin infaillible. J'espère que le terme en sera bientôt la Grève, et que vous aurez, effectivement, la gloire d'y être exposé à l'admiration de tout le monde.

Je ne répondis rien. Il continua : Qu'un père est malheureux, lorsque, après avoir aimé tendrement un fils et n'avoir rien épargné pour en faire un honnête homme, il n'y trouve, à la fin, qu'un fripon qui le déshonore! On se console d'un malheur de fortune : le temps l'efface, et le chagrin diminue; mais quel

remède contre un mal qui augmente tous les jours,
tel que les désordres d'un fils vicieux qui a perdu tous
sentiments d'honneur ? Tu ne dis rien, malheureux,
ajouta-t-il; voyez cette modestie contrefaite et cet
air de douceur hypocrite; ne le prendrait-on pas
pour le plus honnête homme de sa race ?

Quoique je fusse obligé de reconnaître que je méritais une partie de ces outrages, il me parut néanmoins
que c'était les porter à l'excès. Je crus qu'il m'était
permis d'expliquer naturellement ma pensée. Je vous
assure, monsieur, lui dis-je, que la modestie où vous
me voyez devant vous n'est nullement affectée; c'est
la situation naturelle d'un fils bien né, qui respecte
infiniment son père, et surtout un père irrité. Je ne
prétends pas non plus passer pour l'homme le plus
réglé de notre race. Je me connais digne de vos
reproches, mais je vous conjure d'y mettre un peu
plus de bonté et de ne pas me traiter comme le plus
infâme de tous les hommes. Je ne mérite pas des noms
si durs. C'est l'amour, vous le savez, qui a causé toutes
mes fautes. Fatale passion! Hélas! n'en connaissez-
vous pas la force, et se peut-il que votre sang, qui est
la source du mien, n'ait jamais ressenti les mêmes
ardeurs ? L'amour m'a rendu trop tendre, trop passionné, trop fidèle, et peut-être, trop complaisant pour
les désirs d'une maîtresse toute charmante; voilà mes
crimes. En voyez-vous là quelqu'un qui vous déshonore ? Allons, mon cher père, ajoutai-je tendrement,
un peu de pitié pour un fils qui a toujours été plein
de respect et d'affection pour vous, qui n'a pas renoncé,
comme vous pensez, à l'honneur et au devoir, et qui
est mille fois plus à plaindre que vous ne sauriez
vous l'imaginer. Je laissai tomber quelques larmes en
finissant ces paroles.

Un cœur de père est le chef-d'œuvre de la nature;
elle y règne, pour ainsi parler, avec complaisance, et
elle en règle elle-même tous les ressorts. Le mien, qui
était avec cela homme d'esprit et de goût, fut si touché du tour que j'avais donné à mes excuses qu'il ne fut
pas le maître de me cacher ce changement. Viens,
mon pauvre chevalier, me dit-il, viens m'embrasser;

tu me fais pitié. Je l'embrassai; il me serra d'une
manière qui me fit juger de ce qui se passait dans son
cœur. Mais quel moyen prendrons-nous donc, reprit-
il, pour te tirer d'ici ? Explique-moi toutes tes affaires
sans déguisement. Comme il n'y avait rien, après
tout, dans le gros de ma conduite, qui pût me désho-
norer absolument, du moins en la mesurant sur celle
des jeunes gens d'un certain monde, et qu'une maîtresse
ne passe point pour une infamie dans le siècle où
nous sommes, non plus qu'un peu d'adresse à s'attirer la fortune du jeu, je fis sincèrement à mon père
le détail de la vie que j'avais menée. A chaque faute
dont je lui faisais l'aveu, j'avais soin de joindre des
exemples célèbres, pour en diminuer la honte. Je vis avec
une maîtresse, lui disais-je, sans être lié par les céré-
monies du mariage : M. le duc de... en entretient deux,
aux yeux de tout Paris; M. de... en a une depuis
dix ans, qu'il aime avec une fidélité qu'il n'a jamais
eue pour sa femme; les deux tiers des honnêtes gens
de France se font honneur d'en avoir. J'ai usé de quelque
supercherie au jeu : M. le marquis de... et le comte de...
n'ont point d'autres revenus; M. le prince de... et
M. le duc de... sont les chefs d'une bande de chevaliers
du même Ordre. Pour ce qui regardait mes desseins
sur la bourse des deux G... M..., j'aurais pu prouver
aussi facilement que je n'étais pas sans modèles; mais
il me restait trop d'honneur pour ne pas me condamner
moi-même, avec tous ceux dont j'aurais pu me proposer l'exemple, de sorte que je priai mon père de
pardonner cette faiblesse aux deux violentes passions
qui m'avaient agité, la vengeance et l'amour. Il me
demanda si je pouvais lui donner quelques ouvertures
sur les plus courts moyens d'obtenir ma liberté, et
d'une manière qui pût lui faire éviter l'éclat. Je lui
appris les sentiments de bonté que le Lieutenant général de Police avait pour moi. Si vous trouvez quelques
difficultés, lui dis-je, elles ne peuvent venir que de la
part des G... M...; ainsi, je crois qu'il serait à propos
que vous prissiez la peine de les voir. Il me le promit. Je n'osai le prier de solliciter pour Manon. Ce ne
fut point un défaut de hardiesse, mais un effet de la

crainte où j'étais de le révolter par cette proposition, et de lui faire naître quelque dessein funeste à elle et à moi. Je suis encore à savoir si cette crainte n'a pas causé mes plus grandes infortunes en m'empêchant de tenter les dispositions de mon père, et de faire des efforts pour lui en inspirer de favorables à ma malheureuse maîtresse. J'aurais peut-être excité encore une fois sa pitié. Je l'aurais mis en garde contre les impressions qu'il allait recevoir trop facilement du vieux G... M... Que sais-je ? Ma mauvaise destinée l'aurait peut-être emporté sur tous mes efforts, mais je n'aurais eu qu'elle, du moins, et la cruauté de mes ennemis, à accuser de mon malheur.

En me quittant, mon père alla faire une visite à M. de G... M... Il le trouva avec son fils, à qui le garde du corps avait honnêtement rendu la liberté. Je n'ai jamais su les particularités de leur conversation, mais il ne m'a été que trop facile d'en juger par ses mortels effets. Ils allèrent ensemble, je dis les deux pères, chez M. le Lieutenant général de Police, auquel ils demandèrent deux grâces : l'une, de me faire sortir sur-le-champ du Châtelet ; l'autre, d'enfermer Manon pour le reste de ses jours, ou de l'envoyer en Amérique. On commençait, dans le même temps, à embarquer quantité de gens sans aveu pour le Mississippi. M. le Lieutenant général de Police leur donna sa parole de faire partir Manon par le premier vaisseau. M. de G... M... et mon père vinrent aussitôt m'apporter ensemble la nouvelle de ma liberté. M. de G... M... me fit un compliment civil sur le passé, et m'ayant félicité sur le bonheur que j'avais d'avoir un tel père, il m'exhorta à profiter désormais de ses leçons et de ses exemples. Mon père m'ordonna de lui faire des excuses de l'injure prétendue que j'avais faite à sa famille, et de le remercier de s'être employé avec lui pour mon élargissement. Nous sortîmes ensemble, sans avoir dit un mot de ma maîtresse. Je n'osai même parler d'elle aux guichetiers en leur présence. Hélas ! mes tristes recommandations eussent été bien inutiles ! L'ordre cruel était venu en même temps que celui de ma délivrance. Cette fille infortunée fut conduite, une heure après, à

l'Hôpital, pour y être associée à quelques malheureuses qui étaient condamnées à subir le même sort.
Mon père m'ayant obligé de le suivre à la maison où il
avait pris sa demeure, il était presque six heures du soir
lorsque je trouvai le moment de me dérober de ses
yeux pour retourner au Châtelet. Je n'avais dessein
que de faire tenir quelques rafraîchissements à Manon,
et de la recommander au concierge, car je ne me pro-
mettais pas que la liberté de la voir me fût accordée. Je
n'avais point encore eu le temps, non plus, de réfléchir aux moyens de la délivrer.

Je demandai à parler au concierge. Il avait été
content de ma libéralité et de ma douceur, de sorte
qu'ayant quelque disposition à me rendre service, il
me parla du sort de Manon comme d'un malheur dont
il avait beaucoup de regret parce qu'il pouvait m'affliger. Je ne compris point ce langage. Nous nous
entretînmes quelques moments sans nous entendre. A la
fin, s'apercevant que j'avais besoin d'une explication,
il me la donna, telle que j'ai déjà eu horreur de vous la
dire, et que j'ai encore de la répéter. Jamais apoplexie violente ne causa d'effet plus subit et plus terrible. Je tombai, avec une palpitation de cœur si dou-
loureuse, qu'à l'instant que je perdis la connaissance,
je me crus délivré de la vie pour toujours. Il me resta
même quelque chose de cette pensée lorsque je revins
à moi. Je tournai mes regards vers toutes les parties de
la chambre et sur moi-même, pour m'assurer si je
portais encore la malheureuse qualité d'homme vivant.
Il est certain qu'en ne suivant que le mouvement naturel qui fait chercher à se délivrer de ses peines, rien ne
pouvait me paraître plus doux que la mort, dans ce
moment de désespoir et de consternation. La religion
même ne pouvait me faire envisager rien de plus insupportable, après la vie, que les convulsions cruelles dont
j'étais tourmenté. Cependant, par un miracle propre à
l'amour, je retrouvai bientôt assez de force pour remercier le Ciel de m'avoir rendu la connaissance et la raison.
Ma mort n'eût été utile qu'à moi. Manon avait besoin
de ma vie pour la délivrer, pour la secourir, pour la
venger. Je jurai de m'y employer sans ménagement.

Le concierge me donna toute l'assistance que j'eusse
pu attendre du meilleur de mes amis. Je reçus ses services avec une vive reconnaissance. Hélas! lui dis-je,
vous êtes donc touché de mes peines? Tout le monde
m'abandonne. Mon père même est sans doute un de
mes plus cruels persécuteurs. Personne n'a pitié de moi.
Vous seul, dans le séjour de la dureté et de la barbarie,
vous marquez de la compassion pour le plus misérable
de tous les hommes! Il me conseillait de ne point
paraître dans la rue sans être un peu remis du trouble
où j'étais. Laissez, laissez, répondis-je en sortant; je
vous reverrai plus tôt que vous ne pensez. Préparez-moi
le plus noir de vos cachots; je vais travailler à le mériter. En effet, mes premières résolutions n'allaient à
rien moins qu'à me défaire des deux G... M... et du
Lieutenant général de Police, et fondre ensuite à
main armée sur l'Hôpital, avec tous ceux que je pourrais engager dans ma querelle. Mon père lui-même
eût à peine été respecté, dans une vengeance qui me
paraissait si juste, car le concierge ne m'avait pas
caché que lui et G... M... étaient les auteurs de ma
perte. Mais, lorsque j'eus fait quelques pas dans les
rues, et que l'air eut un peu rafraîchi mon sang et mes
humeurs, ma fureur fit place peu à peu à des sentiments
plus raisonnables. La mort de nos ennemis eût été d'une
faible utilité pour Manon, et elle m'eût exposé sans
doute à me voir ôter tous les moyens de la secourir.
D'ailleurs, aurais-je eu recours à un lâche assassinat?
Quelle autre voie pouvais-je m'ouvrir à la vengeance?
Je recueillis toutes mes forces et tous mes esprits pour
travailler d'abord à la délivrance de Manon, remettant
tout le reste après le succès de cette importante entreprise. Il me restait peu d'argent. C'était, néanmoins, un
fondement nécessaire, par lequel il fallait commencer.
Je ne voyais que trois personnes de qui j'en pusse
attendre : M. de T..., mon père et Tiberge. Il y avait peu
d'apparence d'obtenir quelque chose des deux derniers,
et j'avais honte de fatiguer l'autre par mes importunités. Mais ce n'est point dans le désespoir qu'on
garde des ménagements. J'allai sur-le-champ au
Séminaire de Saint-Sulpice, sans m'embarrasser si

j'y serais reconnu. Je fis appeler Tiberge. Ses premières
paroles me firent comprendre qu'il ignorait encore
mes dernières aventures. Cette idée me fit changer le
dessein que j'avais, de l'attendrir par la compassion. Je
lui parlai, en général, du plaisir que j'avais eu de revoir
mon père, et je le priai ensuite de me prêter quelque
argent, sous prétexte de payer, avant mon départ de
Paris, quelques dettes que je souhaitais de tenir inconnues. Il me présenta aussitôt sa bourse. Je pris cinq
cents francs, sur six cents que j'y trouvai. Je lui offris
mon billet; il était trop généreux pour l'accepter.

Je tournai de là chez M. de T... Je n'eus point de
réserve avec lui. Je lui fis l'exposition de mes malheurs
et de mes peines : il en savait déjà jusqu'aux moindres
circonstances, par le soin qu'il avait eu de suivre
l'aventure du jeune G... M...; il m'écouta néanmoins,
et il me plaignit beaucoup. Lorsque je lui demandai ses
conseils sur les moyens de délivrer Manon, il me
répondit tristement qu'il y voyait si peu de jour, qu'à
moins d'un secours extraordinaire du Ciel, il fallait
renoncer à l'espérance, qu'il avait passé exprès à l'Hôpital, depuis qu'elle y était renfermée, qu'il n'avait pu
obtenir lui-même la liberté de la voir; que les ordres du
Lieutenant général de Police étaient de la dernière
rigueur, et que, pour comble d'infortune, la malheureuse bande où elle devait entrer était destinée à
partir le surlendemain du jour où nous étions. J'étais si
consterné de son discours qu'il eût pu parler une heure
sans que j'eusse pensé à l'interrompre. Il continua de
me dire qu'il ne m'était point allé voir au Châtelet,
pour se donner plus de facilité à me servir lorsqu'on le
croirait sans liaison avec moi; que, depuis quelques
heures que j'en étais sorti, il avait eu le chagrin d'ignorer où je m'étais retiré, et qu'il avait souhaité de me
voir promptement pour me donner le seul conseil dont
il semblait que je pusse espérer du changement dans le
sort de Manon, mais un conseil dangereux, auquel il
me priait de cacher éternellement qu'il eût part : c'était
de choisir quelques braves qui eussent le courage
d'attaquer les gardes de Manon lorsqu'ils seraient
sortis de Paris avec elle. Il n'attendit point que je lui

parlasse de mon indigence. Voilà cent pistoles, me
dit-il, en me présentant une bourse, qui pourront vous
être de quelque usage. Vous me les remettrez, lorsque
la fortune aura rétabli vos affaires. Il ajouta que, si le
soin de sa réputation lui eût permis d'entreprendre lui-
même la délivrance de ma maîtresse, il m'eût offert son
bras et son épée.

Cette excessive générosité me toucha jusqu'aux
larmes. J'employai, pour lui marquer ma reconnaissance, toute la vivacité que mon affliction me laissait
de reste. Je lui demandai s'il n'y avait rien à espérer,
par la voie des intercessions, auprès du Lieutenant
général de Police. Il me dit qu'il y avait pensé, mais
qu'il croyait cette ressource inutile, parce qu'une grâce
de cette nature ne pouvait se demander sans motif, et
qu'il ne voyait pas bien quel motif on pouvait employer
pour se faire un intercesseur d'une personne grave et
puissante; que, si l'on pouvait se flatter de quelque
chose de ce côté-là, ce ne pouvait être qu'en faisant
changer de sentiment à M. de G... M... et à mon père,
et en les engageant à prier eux-mêmes M. le Lieutenant général de Police de révoquer sa sentence. Il
m'offrit de faire tous ses efforts pour gagner le jeune
G... M..., quoiqu'il le crût un peu refroidi à son égard
par quelques soupçons qu'il avait conçus de lui à l'occasion de notre affaire, et il m'exhorta à ne rien
omettre, de mon côté, pour fléchir l'esprit de mon
père.

Ce n'était pas une légère entreprise pour moi, je ne
dis pas seulement par la difficulté que je devais naturellement trouver à le vaincre, mais par une autre
raison qui me faisait même redouter ses approches :
je m'étais dérobé de son logement contre ses ordres, et
j'étais fort résolu de n'y pas retourner depuis que
j'avais appris la triste destinée de Manon. J'appréhendais avec sujet qu'il ne me fît retenir malgré moi, et
qu'il ne me reconduisît de même en province. Mon
frère aîné avait usé autrefois de cette méthode. Il est
vrai que j'étais devenu plus âgé, mais l'âge était une
faible raison contre la force. Cependant je trouvai
une voie qui me sauvait du danger; c'était de le faire

appeler dans un endroit public, et de m'annoncer à lui
sous un autre nom. Je pris aussitôt ce parti. M. de T...
s'en alla chez G... M... et moi au Luxembourg, d'où
j'envoyai avertir mon père qu'un gentilhomme de ses
serviteurs était à l'attendre. Je craignais qu'il n'eût
quelque peine à venir, parce que la nuit approchait. Il
parut néanmoins peu après, suivi de son laquais. Je le
priai de prendre une allée où nous puissions être seuls.
Nous fîmes cent pas, pour le moins, sans parler. Il
s'imaginait bien, sans doute, que tant de préparations
ne s'étaient pas faites sans un dessein d'importance. Il
attendait ma harangue, et je la méditais.

Enfin, j'ouvris la bouche. Monsieur, lui dis-je en
tremblant, vous êtes un bon père. Vous m'avez com-
blé de grâces et vous m'avez pardonné un nombre
infini de fautes. Aussi le Ciel m'est-il témoin que j'ai
pour vous tous les sentiments du fils le plus tendre et
le plus respectueux. Mais il me semble... que votre
rigueur... Hé bien! ma rigueur? interrompit mon père,
qui trouvait sans doute que je parlais lentement pour son
impatience. Ah! monsieur, repris-je, il me semble que
votre rigueur est extrême, dans le traitement que vous
avez fait à la malheureuse Manon. Vous vous en êtes
rapporté à M. de G... M... Sa haine vous l'a repré-
sentée sous les plus noires couleurs. Vous vous êtes
formé d'elle une affreuse idée. Cependant, c'est la
plus douce et la plus aimable créature qui fût jamais.
Que n'a-t-il plu au Ciel de vous inspirer l'envie de la
voir un moment! Je ne suis pas plus sûr qu'elle est
charmante, que je le suis qu'elle vous l'aurait paru.
Vous auriez pris parti pour elle; vous auriez détesté les
noirs artifices de G... M...; vous auriez eu compassion
d'elle et de moi. Hélas! j'en suis sûr. Votre cœur n'est
pas insensible; vous vous seriez laissé attendrir. Il
m'interrompit encore, voyant que je parlais avec une
ardeur qui ne m'aurait pas permis de finir sitôt. Il
voulut savoir à quoi j'avais dessein d'en venir par un
discours si passionné. A vous demander la vie, répondis-je, que je ne puis conserver un moment si Manon
part une fois pour l'Amérique. Non, non, me dit-il
d'un ton sévère; j'aime mieux te voir sans vie que sans

sagesse et sans honneur. N'allons donc pas plus loin!
m'écriai-je en l'arrêtant par le bras. Otez-la-moi, cette
vie odieuse et insupportable, car, dans le désespoir où
vous me jetez, la mort sera une faveur pour moi. C'est
un présent digne de la main d'un père.

Je ne te donnerais que ce que tu mérites, répliqua-
t-il. Je connais bien des pères qui n'auraient pas attendu
si longtemps pour être eux-mêmes tes bourreaux, mais
c'est ma bonté excessive qui t'a perdu.

Je me jetai à ses genoux. Ah! s'il vous en reste
encore, lui dis-je en les embrassant, ne vous endurcissez
donc pas contre mes pleurs. Songez que je suis votre
fils... Hélas! souvenez-vous de ma mère. Vous l'aimiez
si tendrement! Auriez-vous souffert qu'on l'eût arra-
chée de vos bras? Vous l'auriez défendue jusqu'à la
mort. Les autres n'ont-ils pas un cœur comme vous ?
Peut-on être barbare, après avoir une fois éprouvé ce
que c'est que la tendresse et la douleur ?

Ne me parle pas davantage de ta mère, reprit-il d'une
voix irritée; ce souvenir échauffe mon indignation. Tes
désordres la feraient mourir de douleur, si elle eût assez
vécu pour les voir. Finissons cet entretien, ajouta-t-il;
il m'importune, et ne me fera point changer de résolution. Je retourne au logis; je t'ordonne de me suivre.
Le ton sec et dur avec lequel il m'intima cet ordre me
fit trop comprendre que son cœur était inflexible.
Je m'éloignai de quelques pas, dans la crainte qu'il ne
lui prît envie de m'arrêter de ses propres mains. N'aug-
mentez pas mon désespoir, lui-dis-je, en me forçant de
vous désobéir. Il est impossible que je vous suive. Il ne
l'est pas moins que je vive, après la dureté avec
laquelle vous me traitez. Ainsi je vous dis un éternel
adieu. Ma mort, que vous apprendrez bientôt, ajoutai-je tristement, vous fera peut-être reprendre pour
moi des sentiments de père. Comme je me tournais
pour le quitter : Tu refuses donc de me suivre ? s'écria-
t-il avec une vive colère. Va, cours à ta perte. Adieu
fils ingrat et rebelle. Adieu, lui dis-je dans mon transport, adieu, père barbare et dénaturé.

Je sortis aussitôt du Luxembourg. Je marchai dans
les rues comme un furieux jusqu'à la maison de

M. de T... Je levais, en marchant, les yeux et les mains
pour invoquer toutes les puissances célestes. O Ciel!
disais-je, serez-vous aussi impitoyable que les hommes ?
Je n'ai plus de secours à attendre que de vous. M. de T...
n'était point encore retourné chez lui, mais il revint
après que je l'y eus attendu quelques moments. Sa
négociation n'avait pas réussi mieux que la mienne. Il
me le dit d'un visage abattu. Le jeune G... M...,
quoique moins irrité que son père contre Manon et
contre moi, n'avait pas voulu entreprendre de le solliciter en notre faveur. Il s'en était défendu par la
crainte qu'il avait lui-même de ce vieillard vindicatif,
qui s'était déjà fort emporté contre lui en lui reprochant
ses desseins de commerce avec Manon. Il ne me restait
donc que la voie de la violence, telle que M. de T...
m'en avait tracé le plan; j'y réduisis toutes mes espérances. Elles sont bien incertaines, lui dis-je, mais la
plus solide et la plus consolante pour moi est celle de
périr du moins dans l'entreprise. Je le quittai en le
priant de me secourir par ses vœux, et je ne pensai plus
qu'à m'associer des camarades à qui je pusse communiquer une étincelle de mon courage et de ma résolution.

Le premier qui s'offrit à mon esprit, fut le même
garde du corps que j'avais employé pour arrêter
G... M... J'avais dessein aussi d'aller passer la nuit
dans sa chambre, n'ayant pas eu l'esprit assez libre,
pendant l'après-midi, pour me procurer un logement.
Je le trouvai seul. Il eut de la joie de me voir sorti du
Châtelet. Il m'offrit affectueusement ses services. Je
lui expliquai ceux qu'il pouvait me rendre. Il avait
assez de bon sens pour en apercevoir toutes les difficultés, mais il fut assez généreux pour entreprendre de
les surmonter. Nous employâmes une partie de la nuit
à raisonner sur mon dessein. Il me parla des trois soldats aux gardes, dont il s'était servi dans la dernière
occasion, comme de trois braves à l'épreuve. M. de T...
m'avait informé exactement du nombre des archers qui
devaient conduire Manon; ils n'étaient que six.
Cinq hommes hardis et résolus suffisaient pour donner
l'épouvante à ces misérables, qui ne sont point capables

de se défendre honorablement lorsqu'ils peuvent éviter le péril du combat par une lâcheté. Comme je ne
manquais point d'argent, le garde du corps me conseilla
de ne rien épargner pour assurer le succès de notre
attaque. Il nous faut des chevaux, me dit-il, avec des
pistolets, et chacun notre mousqueton. Je me charge
de prendre demain le soin de ces préparatifs. Il faudra
aussi trois habits communs pour nos soldats, qui
n'oseraient paraître dans une affaire de cette nature
avec l'uniforme du régiment. Je lui mis entre les
mains les cent pistoles que j'avais reçues de M. de T...
Elles furent employées, le lendemain, jusqu'au dernier
sol. Les trois soldats passèrent en revue devant moi.
Je les animai par de grandes promesses, et pour leur
ôter toute défiance, je commençai par leur faire présent, à chacun, de dix pistoles. Le jour de l'exécution
étant venu, j'en envoyai un de grand matin à l'Hôpital,
pour s'instruire, par ses propres yeux, du moment
auquel les archers partiraient avec leur proie. Quoique
je n'eusse pris cette précaution que par un excès d'inquiétude et de prévoyance, il se trouva qu'elle avait
été absolument nécessaire. J'avais compté sur quelques
fausses informations qu'on m'avait données de leur
route, et, m'étant persuadé que c'était à La Rochelle que
cette déplorable troupe devait être embarquée, j'aurais perdu mes peines à l'attendre sur le chemin d'Orléans. Cependant, je fus informé, par le rapport du
soldat aux gardes, qu'elle prenait le chemin de Normandie, et que c'était du Havre-de-Grâce qu'elle
devait partir pour l'Amérique.

Nous nous rendîmes aussitôt à la porte Saint-
Honoré, observant de marcher par des rues différentes. Nous nous réunîmes au bout du faubourg.
Nos chevaux étaient frais. Nous ne tardâmes point à
découvrir les six gardes et les deux misérables voitures que vous vîtes à Pacy, il y a deux ans. Ce spectacle faillit de m'ôter la force et la connaissance. O
fortune, m'écriai-je, fortune cruelle! accorde-moi ici,
du moins, la mort ou la victoire. Nous tînmes conseil
un moment sur la manière dont nous ferions notre
attaque. Les archers n'étaient guère plus de quatre

cents pas devant nous, et nous pouvions les couper en
passant au travers d'un petit champ, autour duquel le
grand chemin tournait. Le garde du corps fut d'avis de
prendre cette voie, pour les surprendre en fondant tout
d'un coup sur eux. J'approuvai sa pensée et je fus le
premier à piquer mon cheval. Mais la fortune avait
rejeté impitoyablement mes vœux. Les archers, voyant
cinq cavaliers accourir vers eux, ne doutèrent point
que ce ne fût pour les attaquer. Ils se mirent en défense,
en préparant leurs baïonnettes et leurs fusils d'un air
assez résolu. Cette vue, qui ne fit que nous animer, le
garde du corps et moi, ôta tout d'un coup le courage à
nos trois lâches compagnons. Ils s'arrêtèrent comme de
concert, et, s'étant dit entre eux quelques mots que je
n'entendis point, ils tournèrent la tête de leurs chevaux, pour reprendre le chemin de Paris à bride
abattue. Dieux! me dit le garde du corps, qui paraissait aussi éperdu que moi de cette infâme désertion,
qu'allons-nous faire ? Nous ne sommes que deux.
J'avais perdu la voix, de fureur et d'étonnement. Je
m'arrêtai, incertain si ma première vengeance ne
devait pas s'employer à la poursuite et au châtiment
des lâches qui m'abandonnaient. Je les regardais fuir
et je jetais les yeux, de l'autre côté, sur les archers. S'il
m'eût été possible de me partager, j'aurais fondu tout
à la fois sur ces deux objets de ma rage; je les dévorais
tous ensemble. Le garde du corps, qui jugeait de mon
incertitude par le mouvement égaré de mes yeux, me
pria d'écouter son conseil. N'étant que deux, me dit-il,
il y aurait de la folie à attaquer six hommes aussi bien
armés que nous et qui paraissent nous attendre de pied
ferme. Il faut retourner à Paris et tâcher de réussir
mieux dans le choix de nos braves. Les archers ne
sauraient faire de grandes journées avec deux pesantes
voitures; nous les rejoindrons demain sans peine.

Je fis un moment de réflexion sur ce parti, mais, ne
voyant de tous côtés que des sujets de désespoir, je pris
une résolution véritablement désespérée. Ce fut de
remercier mon compagnon de ses services, et, loin
d'attaquer les archers, je résolus d'aller, avec soumission, les prier de me recevoir dans leur troupe pour

accompagner Manon avec eux jusqu'au Havre-de-Grâce et passer ensuite au-delà des mers avec elle. Tout le monde me persécute ou me trahit, dis-je au garde du corps. Je n'ai plus de fond à faire sur personne. Je n'attends plus rien, ni de la fortune, ni du secours des hommes. Mes malheurs sont au comble; il ne me reste plus que de m'y soumettre. Ainsi, je ferme les yeux à toute espérance. Puisse le Ciel récompenser votre générosité! Adieu, je vais aider mon mauvais sort à consommer ma ruine, en y courant moi-même volontairement. Il fit inutilement ses efforts pour m'engager à retourner à Paris. Je le priai de me laisser suivre mes résolutions et de me quitter sur-le-champ, de peur que les archers ne continuassent de croire que notre dessein était de les attaquer.

J'allai seul vers eux, d'un pas lent et le visage si consterné qu'ils ne durent rien trouver d'effrayant dans mes approches. Ils se tenaient néanmoins en défense. Rassurez-vous, messieurs, leur dis-je, en les abordant; je ne vous apporte point la guerre, je viens vous demander des grâces. Je les priai de continuer leur chemin sans défiance et je leur appris, en marchant, les faveurs que j'attendais d'eux. Ils consultèrent ensemble de quelle manière ils devaient recevoir cette ouverture. Le chef de la bande prit la parole pour les autres. Il me répondit que les ordres qu'ils avaient de veiller sur leurs captives étaient d'une extrême rigueur; qu'il me paraissais néanmoins si joli homme que lui et ses compagnons se relâcheraient un peu de leur devoir; mais que je devais comprendre qu'il fallait qu'il m'en coûtât quelque chose. Il me restait environ quinze pistoles; je leur dis naturellement en quoi consistait le fond de ma bourse. Hé bien! me dit l'archer, nous en userons généreusement. Il ne vous coûtera qu'un écu par heure pour entretenir celle de nos filles qui vous plaira le plus; c'est le prix courant de Paris. Je ne leur avais pas parlé de Manon en particulier, parce que je n'avais pas dessein qu'ils connussent ma passion. Ils s'imaginèrent d'abord que ce n'était qu'une fantaisie de jeune homme qui me faisait chercher un peu de passe-temps avec ces créatures; mais

lorsqu'ils crurent s'être aperçus que j'étais amoureux,
ils augmentèrent tellement le tribut, que ma bourse se
trouva épuisée en partant de Mantes, où nous avions
couché, le jour que nous arrivâmes à Pacy.

Vous dirai-je quel fut le déplorable sujet de mes
entretiens avec Manon pendant cette route, ou quelle
impression sa vue fit sur moi lorsque j'eus obtenu des
gardes la liberté d'approcher de son chariot? Ah!
les expressions ne rendent jamais qu'à demi les sentiments du cœur. Mais figurez-vous ma pauvre maîtresse enchaînée par le milieu du corps, assise sur
quelques poignées de paille, la tête appuyée languissamment sur un côté de la voiture, le visage pâle et mouillé
d'un ruisseau de larmes qui se faisaient un passage au
travers de ses paupières, quoiqu'elle eût continuellement les yeux fermés. Elle n'avait pas même eu la
curiosité de les ouvrir lorsqu'elle avait entendu le
bruit de ses gardes, qui craignaient d'être attaqués. Son
linge était sale et dérangé, ses mains délicates exposées
à l'injure de l'air; enfin, tout ce composé charmant,
cette figure capable de ramener l'univers à l'idolâtrie,
paraissait dans un désordre et un abattement inexpri-
mables. J'employai quelque temps à la considérer, en
allant à cheval à côté du chariot. J'étais si peu à moi-
même que je fus sur le point, plusieurs fois, de tomber
dangereusement. Mes soupirs et mes exclamations
fréquentes m'attirèrent d'elle quelques regards. Elle
me reconnut, et je remarquai que, dans le premier
mouvement, elle tenta de se précipiter hors de la voiture pour venir à moi; mais, étant retenue par sa
chaîne, elle retomba dans sa première attitude. Je
priai les archers d'arrêter un moment par compassion;
ils y consentirent par avarice. Je quittai mon cheval
pour m'asseoir auprès d'elle. Elle était si languissante
et si affaiblie qu'elle fut longtemps sans pouvoir se
servir de sa langue ni remuer ses mains. Je les mouillais
pendant ce temps-là de mes pleurs, et, ne pouvant
proférer moi-même une seule parole, nous étions l'un
et l'autre dans une des plus tristes situations dont il
y ait jamais eu d'exemple. Nos expressions ne le furent
pas moins, lorsque nous eûmes retrouvé la liberté de

parler. Manon parla peu. Il semblait que la honte et la
douleur eussent altéré les organes de sa voix ; le son
en était faible et tremblant. Elle me remercia de ne
l'avoir pas oubliée, et de la satisfaction que je lui
accordais, dit-elle en soupirant, de me voir du moins
encore une fois et de me dire le dernier adieu. Mais,
lorsque je l'eus assurée que rien n'était capable de me
séparer d'elle et que j'étais disposé à la suivre jusqu'à
l'extrémité du monde pour prendre soin d'elle, pour
la servir, pour l'aimer et pour attacher inséparable-
ment ma misérable destinée à la sienne, cette pauvre
fille se livra à des sentiments si tendres et si douloureux,
que j'appréhendai quelque chose pour sa vie d'une
si violente émotion. Tous les mouvements de son
âme semblaient se réunir dans ses yeux. Elle les tenait
fixés sur moi. Quelquefois elle ouvrait la bouche, sans
avoir la force d'achever quelques mots qu'elle commençait. Il lui en échappait néanmoins quelques-uns.
C'étaient des marques d'admiration sur mon amour,
de tendres plaintes de son excès, des doutes qu'elle
pût être assez heureuse pour m'avoir inspiré une passion si parfaite, des instances pour me faire renoncer
au dessein de la suivre et chercher ailleurs un bonheur
digne de moi, qu'elle me disait que je ne pouvais
espérer avec elle.

En dépit du plus cruel de tous les sorts, je trouvais
ma félicité dans ses regards et dans la certitude que
j'avais de son affection. J'avais perdu, à la vérité, tout
ce que le reste des hommes estime ; mais j'étais maître
du cœur de Manon, le seul bien que j'estimais. Vivre
en Europe, vivre en Amérique, que m'importait-il en
en quel endroit vivre, si j'étais sûr d'y être heureux en
y vivant avec ma maîtresse ? Tout l'univers n'est-il
pas la patrie de deux amants fidèles ? Ne trouvent-ils
pas l'un dans l'autre, père, mère, parents, amis,
richesses et félicité ? Si quelque chose me causait de
l'inquiétude, c'était la crainte de voir Manon exposée
aux besoins de l'indigence. Je me supposais déjà,
avec elle, dans une région inculte et habitée par des
sauvages. Je suis bien sûr, disais-je, qu'il ne saurait y
en avoir d'aussi cruels que G... M... et mon père. Ils

nous laisseront du moins vivre en paix. Si les relations qu'on en fait sont fidèles, ils suivent les lois de la
nature. Ils ne connaissent ni les fureurs de l'avarice,
qui possèdent G... M..., ni les idées fantastiques de
l'honneur, qui m'ont fait un ennemi de mon père. Ils
ne troubleront point deux amants qu'ils verront vivre
avec autant de simplicité qu'eux. J'étais donc tranquille de ce côté-là. Mais je ne me formais point des
idées romanesques par rapport aux besoins communs
de la vie. J'avais éprouvé trop souvent qu'il y a des
nécessités insupportables, surtout pour une fille déli-
cate qui est accoutumée à une vie commode et abon-
dante. J'étais au désespoir d'avoir épuisé inutilement
ma bourse et que le peu d'argent qui me restait fût
encore sur le point de m'être ravi par la friponnerie
des archers. Je concevais qu'avec une petite somme
j'aurais pu espérer, non seulement de me soutenir
quelque temps contre la misère en Amérique, où l'argent était rare, mais d'y former même quelque entreprise pour un établissement durable. Cette considération me fit naître la pensée d'écrire à Tiberge, que
j'avais toujours trouvé si prompt à m'offrir les secours
de l'amitié. J'écrivis, dès la première ville où nous
passâmes. Je ne lui apportai point d'autre motif que
le pressant besoin dans lequel je prévoyais que je me
trouverais au Havre-de-Grâce, où je lui confessais que
j'étais allé conduire Manon. Je lui demandais cent
pistoles. Faites-les-moi tenir au Havre, lui disais-je,
par le maître de la poste. Vous voyez bien que c'est
la dernière fois que j'importune votre affection et que,
ma malheureuse maîtresse m'étant enlevée pour toujours, je ne puis la laisser partir sans quelques soulagements qui adoucissent son sort et mes mortels
regrets.

Les archers devinrent si intraitables, lorsqu'ils eurent
découvert la violence de ma passion, que, redoublant
continuellement le prix de leurs moindres faveurs,
ils me réduisirent bientôt à la dernière indigence.
L'amour, d'ailleurs, ne me permettait guère de ménager
ma bourse. Je m'oubliais du matin au soir près de
Manon, et ce n'était plus par heure que le temps

m'était mesuré, c'était par la longueur entière des
jours. Enfin, ma bourse étant tout à fait vide, je me
trouvai exposé aux caprices et à la brutalité de six misérables, qui me traitaient avec une hauteur insupportable. Vous en fûtes témoin à Pacy. Votre rencontre
fut un heureux moment de relâche, qui me fut accordé
par la fortune. Votre pitié, à la vue de mes peines, fut
ma seule recommandation auprès de votre cœur généreux. Le secours, que vous m'accordâtes libéralement,
servit à me faire gagner le Havre, et les archers tinrent
leur promesse avec plus de fidélité que je ne l'espérais.

Nous arrivâmes au Havre. J'allai d'abord à la poste.
Tiberge n'avait point encore eu le temps de me
répondre. Je m'informai exactement quel jour je pouvais attendre sa lettre. Elle ne pouvait arriver que
deux jours après, et par une étrange disposition de
mon mauvais sort, il se trouva que notre vaisseau
devait partir le matin de celui auquel j'attendais l'ordinaire. Je ne puis vous représenter mon désespoir.
Quoi! m'écriai-je, dans le malheur même, il faudra
toujours que je sois distingué par des excès! Manon
répondit : Hélas! une vie si malheureuse mérite-t-elle
le soin que nous en prenons ? Mourons au Havre,
mon cher Chevalier. Que la mort finisse tout d'un
coup nos misères! Irons-nous les traîner dans un pays
inconnu, où nous devons nous attendre, sans doute,
à d'horribles extrémités, puisqu'on a voulu m'en faire
un supplice ? Mourons, me répéta-t-elle; ou du moins,
donne-moi la mort, et va chercher un autre sort dans
les bras d'une amante plus heureuse. Non, non, lui
dis-je, c'est pour moi un sort digne d'envie que d'être
malheureux avec vous. Son discours me fit trembler.
Je jugeai qu'elle était accablée de ses maux. Je m'efforçai de prendre un air plus tranquille, pour lui ôter ces
funestes pensées de mort et de désespoir. Je résolus de
tenir la même conduite à l'avenir; et j'ai éprouvé, dans la
suite, que rien n'est plus capable d'inspirer du courage
à une femme que l'intrépidité d'un homme qu'elle aime.

Lorsque j'eus perdu l'espérance de recevoir du
secours de Tiberge, je vendis mon cheval. L'argent
que j'en tirai, joint à ce qui me restait encore de vos

libéralités, me composa la petite somme de dix-sept pistoles. J'en employai sept à l'achat de quelques soulagements nécessaires à Manon, et je serrai les dix autres avec soin, comme le fondement de notre fortune et de nos espérances en Amérique. Je n'eus point de peine à me faire recevoir dans le vaisseau. On cherchait alors des jeunes gens qui fussent disposés à se joindre volontairement à la colonie. Le passage et la nourriture me furent accordés gratis. La poste de Paris devant partir le lendemain, j'y laissai une lettre pour Tiberge. Elle était touchante et capable de l'attendrir, sans doute, au dernier point, puisqu'elle lui fit prendre une résolution qui ne pouvait venir que d'un fonds infini de tendresse et de générosité pour un ami malheureux.

Nous mîmes à la voile. Le vent ne cessa point de nous être favorable. J'obtins du capitaine un lieu à part pour Manon et pour moi. Il eut la bonté de nous regarder d'un autre œil que le commun de nos misérables associés. Je l'avais pris en particulier dès le premier jour, et, pour m'attirer de lui quelque considération, je lui avais découvert une partie de mes infortunes. Je ne crus pas me rendre coupable d'un mensonge honteux en lui disant que j'étais marié à Manon. Il feignit de le croire, et il m'accorda sa protection. Nous en reçûmes des marques pendant toute la navigation. Il eut soin de nous faire nourrir honnêtement, et les égards qu'il eut pour nous servirent à nous faire respecter des compagnons de notre misère. J'avais une attention continuelle à ne pas laisser souffrir la moindre incommodité à Manon. Elle le remarquait bien, et cette vue, jointe au vif ressentiment de l'étrange extrémité où je m'étais réduit pour elle, la rendait si tendre et si passionnée, si attentive aussi à mes plus légers besoins, que c'était, entre elle et moi, une perpétuelle émulation de services et d'amour. Je ne regrettais point l'Europe. Au contraire, plus nous avancions vers l'Amérique, plus je sentais mon cœur s'élargir et devenir tranquille. Si j'eusse pu m'assurer de n'y pas manquer des nécessités absolues de la vie, j'aurais remercié la fortune d'avoir donné un tour si favorable à nos malheurs.

Après une navigation de deux mois, nous abordâmes
enfin au rivage désiré. Le pays ne nous offrit rien
d'agréable à la première vue. C'étaient des campagnes
stériles et inhabitées, où l'on voyait à peine quelques
roseaux et quelques arbres dépouillés par le vent.
Nulle trace d'hommes ni d'animaux. Cependant, le
capitaine ayant fait tirer quelques pièces de notre
artillerie, nous ne fûmes pas longtemps sans apercevoir
une troupe de citoyens du Nouvel Orléans, qui s'approchèrent de nous avec de vives marques de joie. Nous
n'avions pas découvert la ville. Elle est cachée, de ce
côté-là, par une petite colline. Nous fûmes reçus
comme des gens descendus du Ciel. Ces pauvres
habitants s'empressaient pour nous faire mille questions sur l'état de la France et sur les différentes pro-
vinces où ils étaient nés. Ils nous embrassaient
comme leurs frères et comme de chers compagnons
qui venaient partager leur misère et leur solitude. Nous
prîmes le chemin de la ville avec eux, mais nous fûmes
surpris de découvrir, en avançant, que, ce qu'on nous
avait vanté jusqu'alors comme une bonne ville, n'était
qu'un assemblage de quelques pauvres cabanes. Elles
étaient habitées par cinq ou six cents personnes. La
maison du Gouverneur nous parut un peu distinguée
par sa hauteur et par sa situation. Elle est défendue
par quelques ouvrages de terre, autour desquels règne
un large fossé.

Nous fûmes d'abord présentés à lui. Il s'entretint
longtemps en secret avec le capitaine, et, revenant
ensuite à nous, il considéra, l'une après l'autre, toutes
les filles qui étaient arrivées par le vaisseau. Elles
étaient au nombre de trente, car nous en avions trouvé
au Havre une autre bande, qui s'était jointe à la nôtre.
Le Gouverneur, les ayant longtemps examinées, fit
appeler divers jeunes gens de la ville qui languissaient
dans l'attente d'une épouse. Il donna les plus jolies aux
principaux et le reste fut tiré au sort. Il n'avait point
encore parlé à Manon, mais, lorsqu'il eut ordonné
aux autres de se retirer, il nous fit demeurer, elle et
moi. J'apprends du capitaine, nous dit-il, que vous
êtes mariés et qu'il vous a reconnus sur la route pour

deux personnes d'esprit et de mérite. Je n'entre point
dans les raisons qui ont causé votre malheur, mais,
s'il est vrai que vous ayez autant de savoir-vivre que
votre figure me le promet, je n'épargnerai rien pour
adoucir votre sort, et vous contribuerez vous-mêmes à
me faire trouver quelque agrément dans ce lieu sau-
vage et désert. Je lui répondis de la manière que je
crus la plus propre à confirmer l'idée qu'il avait de
nous. Il donna quelques ordres pour nous faire préparer un logement dans la ville, et il nous retint à
souper avec lui. Je lui trouvai beaucoup de politesse,
pour un chef de malheureux bannis. Il ne nous fit
point de questions, en public, sur le fond de nos
aventures. La conversation fut générale, et, malgré
notre tristesse, nous nous efforçâmes, Manon et moi,
de contribuer à la rendre agréable.

Le soir, il nous fit conduire au logement qu'on nous
avait préparé. Nous trouvâmes une misérable cabane,
composée de planches et de boue, qui consistait en
deux ou trois chambres de plain-pied, avec un grenier
au-dessus. Il y avait fait mettre cinq ou six chaises et
quelques commodités nécessaires à la vie. Manon
parut effrayée à la vue d'une si triste demeure. C'était
pour moi qu'elle s'affligeait, beaucoup plus que pour
elle-même. Elle s'assit, lorsque nous fûmes seuls, et
elle se mit à pleurer amèrement. J'entrepris d'abord
de la consoler, mais lorsqu'elle m'eut fait entendre
que c'était moi seul qu'elle plaignait, et qu'elle ne
considérait, dans nos malheurs communs, que ce que
j'avais à souffrir, j'affectai de montrer assez de courage,
et même assez de joie pour lui en inspirer. De quoi me
plaindrai-je ? lui dis-je. Je possède tout ce que je désire.
Vous m'aimez, n'est-ce pas ? Quel autre bonheur me
suis-je jamais proposé ? Laissons au Ciel le soin de
notre fortune. Je ne la trouve pas si désespérée. Le
Gouverneur est un homme civil; il nous a marqué de
la considération; il ne permettra pas que nous man-
quions du nécessaire. Pour ce qui regarde la pauvreté
de notre cabane et la grossièreté de nos meubles, vous
avez pu remarquer qu'il y a eu peu de personnes ici
qui paraissent mieux logées et mieux meublées que

nous. Et puis, tu es une chimiste admirable, ajoutai-je en l'embrassant, tu transformes tout en or.

Vous serez donc la plus riche personne de l'univers, me répondit-elle, car, s'il n'y eut jamais d'amour tel que le vôtre, il est impossible aussi d'être aimé plus tendrement que vous l'êtes. Je me rends justice, continua-t-elle. Je sens bien que je n'ai jamais mérité ce prodigieux attachement que vous avez pour moi. Je vous ai causé des chagrins, que vous n'avez pu me pardonner sans une bonté extrême. J'ai été légère et volage, et même en vous aimant éperdument, comme j'ai toujours fait, je n'étais qu'une ingrate. Mais vous ne sauriez croire combien je suis changée. Mes larmes, que vous avez vues couler si souvent depuis notre départ de France, n'ont pas eu une seule fois mes malheurs pour objet. J'ai cessé de les sentir aussitôt que vous avez commencé à les partager. Je n'ai pleuré que de tendresse et de compassion pour vous. Je ne me console point d'avoir pu vous chagriner un moment dans ma vie. Je ne cesse point de me reprocher mes inconstances et de m'attendrir, en admirant de quoi l'amour vous a rendu capable pour une malheureuse qui n'en était pas digne, et qui ne payerait pas bien de tout son sang, ajouta-t-elle avec une abondance de larmes, la moitié des peines qu'elle vous a causées.

Ses pleurs, son discours et le ton dont elle le prononça firent sur moi une impression si étonnante, que je crus sentir une espèce de division dans mon âme. Prends garde, lui dis-je, prends garde, ma chère Manon. Je n'ai point assez de force pour supporter des marques si vives de ton affection ; je ne suis point accoutumé à ces excès de joie. O Dieu ! m'écriai-je, je ne vous demande plus rien. Je suis assuré du cœur de Manon. Il est tel que je l'ai souhaité pour être heureux ; je ne puis plus cesser de l'être à présent. Voilà ma félicité bien établie. Elle l'est, reprit-elle, si vous la faites dépendre de moi, et je sais où je puis compter aussi de trouver toujours la mienne. Je me couchai avec ces charmantes idées, qui changèrent ma cabane en un palais digne du premier roi du monde. L'Amérique me parut un lieu de délices après cela. C'est au Nouvel

Orléans qu'il faut venir, disais-je souvent à Manon,
quand on veut goûter les vraies douceurs de l'amour.
C'est ici qu'on s'aime sans intérêt, sans jalousie, sans
inconstance. Nos compatriotes y viennent chercher de
l'or; ils ne s'imaginent pas que nous y avons trouvé
des trésors bien plus estimables.

Nous cultivâmes soigneusement l'amitié du Gouverneur. Il eut la bonté, quelques semaines après notre
arrivée, de me donner un petit emploi qui vint à
vaquer dans le fort. Quoiqu'il ne fût pas bien distingué, je l'acceptai comme une faveur du Ciel. Il me
mettait en état de vivre sans être à charge à personne.
Je pris un valet pour moi et une servante pour Manon.
Notre petite fortune s'arrangea. J'étais réglé dans ma
conduite; Manon ne l'était pas moins. Nous ne lais-
sions point échapper l'occasion de rendre service et de
faire du bien à nos voisins. Cette disposition officieuse
et la douceur de nos manières nous attirèrent la
confiance et l'affection de toute la colonie. Nous
fûmes en peu de temps si considérés, que nous passions pour les premières personnes de la ville après
le Gouverneur.

L'innocence de nos occupations, et la tranquillité
où nous étions continuellement, servirent à nous faire
rappeler insensiblement des idées de religion. Manon
n'avait jamais été une fille impie. Je n'étais pas non
plus de ces libertins outrés, qui font gloire d'ajouter
l'irréligion à la dépravation des mœurs. L'amour et la
jeunesse avaient causé tous nos désordres. L'expérience
commençait à nous tenir lieu d'âge; elle fit sur nous le
même effet que les années. Nos conversations, qui
étaient toujours réfléchies, nous mirent insensiblement
dans le goût d'un amour vertueux. Je fus le premier
qui proposai ce changement à Manon. Je connaissais
les principes de son cœur. Elle était droite et naturelle dans tous ses sentiments, qualité qui dispose toujours à la vertu. Je lui fis comprendre qu'il manquait
une chose à notre bonheur. C'est, lui dis-je, de le faire
approuver du Ciel. Nous avons l'âme trop belle, et le
cœur trop bien fait, l'un et l'autre, pour vivre volontairement dans l'oubli du devoir. Passe d'y avoir

vécu en France, où il nous était également impossible
de cesser de nous aimer et de nous satisfaire par une
voie légitime ; mais en Amérique, où nous ne dépendons
que de nous-mêmes, où nous n'avons plus à ménager
les lois arbitraires du rang et de la bienséance, où l'on
nous croit même mariés, qui empêche que nous ne le
soyons bientôt effectivement et que nous n'anoblissions
notre amour par des serments que la religion autorise ?
Pour moi, ajoutai-je, je ne vous offre rien de nouveau
en vous offrant mon cœur et ma main, mais je suis prêt
à vous en renouveler le don au pied d'un autel. Il me
parut que ce discours la pénétrait de joie. Croiriez-
vous, me répondit-elle, que j'y ai pensé mille fois,
depuis que nous sommes en Amérique ? La crainte de
vous déplaire m'a fait renfermer ce désir dans mon
cœur. Je n'ai point la présomption d'aspirer à la
qualité de votre épouse. Ah ! Manon, répliquai-je, tu
serais bientôt celle d'un roi, si le Ciel m'avait fait
naître avec une couronne. Ne balançons plus. Nous
n'avons nul obstacle à redouter. J'en veux parler dès
aujourd'hui au Gouverneur et lui avouer que nous
l'avons trompé jusqu'à ce jour. Laissons craindre aux
amants vulgaires, ajoutai-je, les chaînes indissolubles du
mariage. Ils ne les craindraient pas s'ils étaient sûrs,
comme nous, de porter toujours celles de l'amour. Je laissai Manon au comble de la joie, après cette résolution.

Je suis persuadé qu'il n'y a point d'honnête homme
au monde qui n'eût approuvé mes vues dans les circonstances où j'étais, c'est-à-dire asservi fatalement
à une passion que je ne pouvais vaincre et combattu
par des remords que je ne devais point étouffer. Mais
se trouvera-t-il quelqu'un qui accuse mes plaintes
d'injustice, si je gémis de la rigueur du Ciel à rejeter
un dessein que je n'avais formé que pour lui plaire ?
Hélas ! que dis-je, à le rejeter ? Il l'a puni comme un
crime. Il m'avait souffert avec patience tandis que je
marchais aveuglément dans la route du vice, et ses
plus rudes châtiments m'étaient réservés lorsque je
commençais à retourner à la vertu. Je crains de manquer de force pour achever le récit du plus funeste
événement qui fût jamais.

J'allai chez le Gouverneur, comme j'en étais convenu avec Manon, pour le prier de consentir à la cérémonie de notre mariage. Je me serais bien gardé d'en parler, à lui ni à personne, si j'eusse pu me promettre que son aumônier, qui était alors le seul prêtre de la ville, m'eût rendu ce service sans sa participation; mais, n'osant espérer qu'il voulût s'engager au silence, j'avais pris le parti d'agir ouvertement. Le Gouverneur avait un neveu, nommé Synnelet, qui lui était extrêmement cher. C'était un homme de trente ans, brave, mais emporté et violent. Il n'était point marié. La beauté de Manon l'avait touché dès le jour de notre arrivée; et les occasions sans nombre qu'il avait eues de la voir, pendant neuf ou dix mois, avaient tellement enflammé sa passion, qu'il se consumait en secret pour elle. Cependant, comme il était persuadé, avec son oncle et toute la ville, que j'étais réellement marié, il s'était rendu maître de son amour jusqu'au point de n'en laisser rien éclater et son zèle s'était même déclaré pour moi, dans plusieurs occasions de me rendre service. Je le trouvai avec son oncle, lorsque j'arrivai au fort. Je n'avais nulle raison qui m'obligeât de lui faire un secret de mon dessein, de sorte que je ne fis point difficulté de m'expliquer en sa présence. Le Gouverneur m'écouta avec sa bonté ordinaire. Je lui racontai une partie de mon histoire, qu'il entendit avec plaisir, et, lorsque je le priai d'assister à la cérémonie que je méditais, il eut la générosité de s'engager à faire toute la dépense de la fête. Je me retirai fort content.

Une heure après, je vis entrer l'aumônier chez moi. Je m'imaginai qu'il venait me donner quelques instructions sur mon mariage; mais, après m'avoir salué froidement, il me déclara, en deux mots, que M. le Gouverneur me défendait d'y penser, et qu'il avait d'autres vues sur Manon. D'autres vues sur Manon! lui dis-je avec un mortel saisissement de cœur, et quelles vues donc, Monsieur l'aumônier? Il me répondit que je n'ignorais pas que M. le Gouverneur était le maître; que Manon ayant été envoyée de France pour la colonie, c'était à lui à disposer d'elle; qu'il ne

l'avait pas fait jusqu'alors, parce qu'il la croyait
mariée, mais, qu'ayant appris de moi-même qu'elle ne
l'était point, il jugeait à propos de la donner à M. Synnelet, qui en était amoureux. Ma vivacité l'emporta
sur ma prudence. J'ordonnai fièrement à l'aumônier de
sortir de ma maison, en jurant que le Gouverneur,
Synnelet et toute la ville ensemble n'oseraient porter
la main sur ma femme, ou ma maîtresse, comme ils
voudraient l'appeler.

Je fis part aussitôt à Manon du funeste message que
je venais de recevoir. Nous jugeâmes que Synnelet
avait séduit l'esprit de son oncle depuis mon retour et
que c'était l'effet de quelque dessein médité depuis
longtemps. Ils étaient les plus forts. Nous nous trou-
vions dans le Nouvel Orléans comme au milieu de la
mer, c'est-à-dire séparés du reste du monde par des
espaces immenses. Où fuir ? dans un pays inconnu,
désert, ou habité par des bêtes féroces, et par des sauvages aussi barbares qu'elles ? J'étais estimé dans la
ville, mais je ne pouvais espérer d'émouvoir assez le
peuple en ma faveur, pour en espérer un secours proportionné au mal. Il eût fallu de l'argent ; j'étais
pauvre. D'ailleurs, le succès d'une émotion populaire
était incertain, et, si la fortune nous eût manqué,
notre malheur serait devenu sans remède. Je roulais
toutes ces pensées dans ma tête. J'en communiquais
une partie à Manon. J'en formais de nouvelles sans
écouter sa réponse. Je prenais un parti ; je le rejetais
pour en prendre un autre. Je parlais seul, je répondais
tout haut à mes pensées ; enfin j'étais dans une agitation que je ne saurais comparer à rien parce qu'il n'y
en eut jamais d'égale. Manon avait les yeux sur moi.
Elle jugeait, par mon trouble, de la grandeur du péril,
et, tremblant pour moi plus que pour elle-même, cette
tendre fille n'osait pas même ouvrir la bouche pour
m'exprimer ses craintes. Après une infinité de
réflexions, je m'arrêtai à la résolution d'aller trouver
le Gouverneur, pour m'efforcer de le toucher par des
considérations d'honneur et par le souvenir de mon
respect et de son affection. Manon voulut s'opposer à
ma sortie. Elle me disait, les larmes aux yeux : Vous

allez à la mort. Ils vont vous tuer. Je ne vous reverrai
plus. Je veux mourir avant vous. Il fallut beaucoup
d'efforts pour la persuader de la nécessité où j'étais de
sortir et de celle qu'il y avait pour elle de demeurer au
logis. Je lui promis qu'elle me reverrait dans un instant. Elle ignorait, et moi aussi, que c'était sur elle-
même que devait tomber toute la colère du Ciel et la
rage de nos ennemis.

Je me rendis au fort. Le Gouverneur était avec son
aumônier. Je m'abaissai, pour le toucher, à des sou-
missions qui m'auraient fait mourir de honte si je les
eusse faites pour toute autre cause. Je le pris par tous
les motifs qui doivent faire une impression certaine sur
un cœur qui n'est pas celui d'un tigre féroce et cruel.
Ce barbare ne fit à mes plaintes que deux réponses,
qu'il répéta cent fois : Manon, me dit-il, dépendait de
lui; il avait donné sa parole à son neveu. J'étais résolu
de me modérer jusqu'à l'extrémité. Je me contentai de
lui dire que je le croyais trop de mes amis pour vouloir
ma mort, à laquelle je consentirais plutôt qu'à la perte
de ma maîtresse.

Je fus trop persuadé, en sortant, que je n'avais rien
à espérer de cet opiniâtre vieillard, qui se serait damné
mille fois pour son neveu. Cependant, je persistai dans
le dessein de conserver jusqu'à la fin un air de modération, résolu, si l'on en venait aux excès d'injustice, de
donner à l'Amérique une des plus sanglantes et des plus
horribles scènes que l'amour ait jamais produites. Je
retournais chez moi, en méditant sur ce projet, lorsque
le sort, qui voulait hâter ma ruine, me fit rencontrer
Synnelet. Il lut dans mes yeux une partie de mes pensées. J'ai dit qu'il était brave; il vint à moi. Ne me cher-
chez-vous pas ? me dit-il. Je connais que mes desseins
vous offensent, et j'ai bien prévu qu'il faudrait se couper la gorge avec vous. Allons voir qui sera le plus
heureux. Je lui répondis qu'il avait raison, et qu'il n'y
avait que ma mort qui pût finir nos différends. Nous
nous écartâmes d'une centaine de pas hors de la ville.
Nos épées se croisèrent; je le blessai et je le désarmai
presque en même temps. Il fut si enragé de son malheur, qu'il refusa de me demander la vie et de renoncer

à Manon. J'avais peut-être le droit de lui ôter tout d'un coup l'un et l'autre, mais un sang généreux ne se dément jamais. Je lui jetai son épée. Recommençons, lui dis-je, et songez que c'est sans quartier. Il m'attaqua avec une furie inexprimable. Je dois confesser que je n'étais pas fort dans les armes, n'ayant eu que trois mois de salle à Paris. L'amour conduisait mon épée. Synnelet ne laissa pas de me percer le bras d'outre en outre, mais je le pris sur le temps et je lui fournis un coup si vigoureux qu'il tomba à mes pieds sans mouvement.

Malgré la joie que donne la victoire après un combat mortel, je réfléchis aussitôt sur les conséquences de cette mort. Il n'y avait, pour moi, ni grâce ni délai de supplice à espérer. Connaissant, comme je faisais, la passion du Gouverneur pour son neveu, j'étais certain que ma mort ne serait pas différée d'une heure après la connaissance de la sienne. Quelque pressante que fût cette crainte, elle n'était pas la plus forte cause de mon inquiétude. Manon, l'intérêt de Manon, son péril et la nécessité de la perdre, me troublaient jusqu'à répandre de l'obscurité sur mes yeux et à m'empêcher de reconnaître le lieu où j'étais. Je regrettai le sort de Synnelet. Une prompte mort me semblait le seul remède de mes peines. Cependant, ce fut cette pensée même qui me fit rappeler vivement mes esprits et qui me rendit capable de prendre une résolution. Quoi! je veux mourir, m'écriai-je, pour finir mes peines? Il y en a donc que j'appréhende plus que la perte de ce que j'aime? Ah! souffrons jusqu'aux plus cruelles extrémités pour secourir ma maîtresse, et remettons à mourir après les avoir souffertes inutilement. Je repris le chemin de la ville. J'entrai chez moi. J'y trouvai Manon à demi morte de frayeur et d'inquiétude. Ma présence la ranima. Je ne pouvais lui déguiser le terrible accident qui venait de m'arriver. Elle tomba sans connaissance entre mes bras, au récit de la mort de Synnelet et de ma blessure. J'employai plus d'un quart d'heure à lui faire retrouver le sentiment.

J'étais à demi mort moi-même. Je ne voyais pas le moindre jour à sa sûreté, ni à la mienne. Manon, que ferons-nous? lui dis-je lorsqu'elle eut repris un peu de

force. Hélas! qu'allons-nous faire ? Il faut nécessairement que je m'éloigne. Voulez-vous demeurer dans la
ville ? Oui, demeurez-y. Vous pouvez encore y être
heureuse; et moi, je vais, loin de vous, chercher la
mort parmi les sauvages ou entre les griffes des bêtes
féroces. Elle se leva malgré sa faiblesse; elle me prit par
la main, pour me conduire vers la porte. Fuyons
ensemble, me dit-elle, ne perdons pas un instant. Le
corps de Synnelet peut avoir été trouvé par hasard, et
nous n'aurions pas le temps de nous éloigner. Mais,
chère Manon! repris-je tout éperdu, dites-moi donc où
nous pouvons aller. Voyez-vous quelque ressource ?
Ne vaut-il pas mieux que vous tâchiez de vivre ici sans
moi, et que je porte volontairement ma tête au Gouverneur ? Cette proposition ne fit qu'augmenter son
ardeur à partir. Il fallut la suivre. J'eus encore assez
de présence d'esprit, en sortant, pour prendre quelques
liqueurs fortes que j'avais dans ma chambre et toutes
les provisions que je pus faire entrer dans mes poches.
Nous dîmes à nos domestiques, qui étaient dans la
chambre voisine, que nous partions pour la promenade
du soir, nous avions cette coutume tous les jours, et nous
nous éloignâmes de la ville, plus promptement que la
délicatesse de Manon ne semblait le permettre.

Quoique je ne fusse pas sorti de mon irrésolution
sur le lieu de notre retraite, je ne laissais pas d'avoir
deux espérances, sans lesquelles j'aurais préféré la
mort à l'incertitude de ce qui pouvait arriver à Manon.
J'avais acquis assez de connaissance du pays, depuis
près de dix mois que j'étais en Amérique, pour ne pas
ignorer de quelle manière on apprivoisait les sauvages.
On pouvait se mettre entre leurs mains, sans courir à
une mort certaine. J'avais même appris quelques mots
de leur langue et quelques-unes de leurs coutumes dans
les diverses occasions que j'avais eues de les voir. Avec
cette triste ressource, j'en avais une autre du côté des
Anglais qui ont, comme nous, des établissements dans
cette partie du Nouveau Monde. Mais j'étais effrayé
de l'éloignement. Nous avions à traverser, jusqu'à leurs
colonies, de stériles campagnes de plusieurs journées de
largeur, et quelques montagnes si hautes et si escarpées

que le chemin en paraissait difficile aux hommes les
plus grossiers et les plus vigoureux. Je me flattais,
néanmoins, que nous pourrions tirer parti de ces
deux ressources : des sauvages pour aider à nous
conduire, et des Anglais pour nous recevoir dans leurs
habitations.

Nous marchâmes aussi longtemps que le courage de
Manon put la soutenir, c'est-à-dire environ deux lieues,
car cette amante incomparable refusa constamment de
s'arrêter plus tôt. Accablée enfin de lassitude, elle me
confessa qu'il lui était impossible d'avancer davantage. Il était déjà nuit. Nous nous assîmes au milieu
d'une vaste plaine, sans avoir pu trouver un arbre pour
nous mettre à couvert. Son premier soin fut de changer
le linge de ma blessure, qu'elle avait pansée elle-même
avant notre départ. Je m'opposai en vain à ses volontés. J'aurais achevé de l'accabler mortellement, si je lui
eusse refusé la satisfaction de me croire à mon aise
et sans danger, avant que de penser à sa propre conser-
vation. Je me soumis durant quelques moments à ses
désirs. Je reçus ses soins en silence et avec honte. Mais,
lorsqu'elle eut satisfait sa tendresse, avec quelle
ardeur la mienne ne prit-elle pas son tour! Je me
dépouillai de tous mes habits, pour lui faire trouver
la terre moins dure en les étendant sous elle. Je la fis
consentir, malgré elle, à me voir employer à son usage
tout ce que je pus imaginer de moins incommode.
J'échauffai ses mains par mes baisers ardents et par la
chaleur de mes soupirs. Je passai la nuit entière à
veiller près d'elle, et à prier le Ciel de lui accorder un
sommeil doux et paisible. O Dieu! que mes vœux
étaient vifs et sincères! et par quel rigoureux jugement aviez-vous résolu de ne les pas exaucer!

Pardonnez, si j'achève en peu de mots un récit qui
me tue. Je vous raconte un malheur qui n'eut jamais
d'exemple. Toute ma vie est destinée à le pleurer. Mais,
quoique je le porte sans cesse dans ma mémoire, mon
âme semble reculer d'horreur, chaque fois que j'en-
treprends de l'exprimer.

Nous avions passé tranquillement une partie de la
nuit. Je croyais ma chère maîtresse endormie et je

vement du transport réveilla mes sens. Les soupirs que
je poussai, en ouvrant les yeux et en gémissant de me
retrouver parmi les vivants, firent connaître que j'étais
encore en état de recevoir du secours. On m'en donna
de trop heureux. Je ne laissai pas d'être renfermé dans
une étroite prison. Mon procès fut instruit, et, comme
Manon ne paraissait point, on m'accusa de m'être
défait d'elle par un mouvement de rage et de jalousie.
Je racontai naturellement ma pitoyable aventure.
Synnelet, malgré les transports de douleur où ce récit
le jeta, eut la générosité de solliciter ma grâce. Il l'ob-
tint. J'étais si faible qu'on fut obligé de me transporter
de la prison dans mon lit, où je fus retenu pendant
trois mois par une violente maladie. Ma haine pour la
vie ne diminuait point. J'invoquais continuellement la
mort et je m'obstinai longtemps à rejeter tous les
remèdes. Mais le Ciel, après m'avoir puni avec tant de
rigueur, avait dessein de me rendre utiles mes malheurs et ses châtiments. Il m'éclaira de ses lumières,
qui me firent rappeler des idées dignes de ma naissance et de mon éducation. La tranquillité ayant commencé de renaître un peu dans mon âme, ce changement fut suivi de près par ma guérison. Je me livrai
entièrement aux inspirations de l'honneur, et je continuai de remplir mon petit emploi, en attendant les
vaisseaux de France qui vont, une fois chaque année,
dans cette partie de l'Amérique. J'étais résolu de
retourner dans ma patrie pour y réparer, par une vie
sage et réglée, le scandale de ma conduite. Synnelet
avait pris soin de faire transporter le corps de ma chère
maîtresse dans un lieu honorable.

Ce fut environ six semaines après mon rétablisse-
ment que, me promenant seul, un jour, sur le rivage, je
vis arriver un vaisseau que des affaires de commerce
amenaient au Nouvel Orléans. J'étais attentif au
débarquement de l'équipage. Je fus frappé d'une surprise extrême en reconnaissant Tiberge parmi ceux qui
s'avançaient vers la ville. Ce fidèle ami me remit de
loin, malgré les changements que la tristesse avait faits
sur mon visage. Il m'apprit que l'unique motif de son
voyage avait été le désir de me voir et de m'engager à

retourner en France; qu'ayant reçu la lettre que je lui avais écrite du Havre, il s'y était rendu en personne pour me porter les secours que je lui demandais; qu'il avait ressenti la plus vive douleur en apprenant mon départ et qu'il serait parti sur-le-champ pour me suivre, s'il eût trouvé un vaisseau prêt à faire voile; qu'il en avait cherché pendant plusieurs mois dans divers ports et qu'en ayant enfin rencontré un, à Saint-Malo, qui levait l'ancre pour la Martinique, il s'y était embarqué, dans l'espérance de se procurer de là un passage facile au Nouvel Orléans; que, le vaisseau malouin ayant été pris en chemin par des corsaires espagnols et conduit dans une de leurs îles, il s'était échappé par adresse; et qu'après diverses courses, il avait trouvé l'occasion du petit bâtiment qui venait d'arriver, pour se rendre heureusement près de moi.

Je ne pouvais marquer trop de reconnaissance pour un ami si généreux et si constant. Je le conduisis chez moi. Je le rendis le maître de tout ce que je possédais. Je lui appris tout ce qui m'était arrivé depuis mon départ de France, et pour lui causer une joie à laquelle il ne s'attendait pas, je lui déclarai que les semences de vertu qu'il avait jetées autrefois dans mon cœur commençaient à produire des fruits dont il allait être satisfait. Il me protesta qu'une si douce assurance le dédommageait de toutes les fatigues de son voyage.

Nous avons passé deux mois ensemble au Nouvel Orléans, pour attendre l'arrivée des vaisseaux de France, et nous étant enfin mis en mer, nous prîmes terre, il y a quinze jours, au Havre-de-Grâce. J'écrivis à ma famille en arrivant. J'ai appris, par la réponse de mon frère aîné, la triste nouvelle de la mort de mon père, à laquelle je tremble, avec trop de raison, que mes égarements n'aient contribué. Le vent étant favorable pour Calais, je me suis embarqué aussitôt, dans le dessein de me rendre à quelques lieues de cette ville, chez un gentilhomme de mes parents, où mon frère m'écrit qu'il doit attendre mon arrivée.

FIN DE LA DEUXIÈME PARTIE.

L'horizon à travers mes poumons
Plus de faim de la découverte
Plus de molestation des hommes plus
    âgés que nous.
Lac d'argent, envie d'argent
Seulement l'œil devient plus vigoureux
L'œil se précise

TABLE DES MATIÈRES

Pendant que l'autre se diffuse
Le soleil me couvre de toue
Ma mer vaporeuse

Chronologie. 5

Préface. 14

Bibliographie sommaire 26

Des jambes jusqu'aux épaules.
(Quel homme buvable!)

HISTOIRE DU CHEVALIER DES GRIEUX
ET DE MANON LESCAUT

Mon arbre toujours naissant

Avis de l'auteur des *Mémoires d'un homme de
    qualité* 29
Hébergeant des beaux oiseaux
Première partie 33
EN DÉPIT DE TOUT
Deuxième partie 119
("Que buvais-je à la lisière de la forêt")
Comment buvais-je?
À genoux, à pied, au dos, à la ventre...
Quelle pureté de ton, de mouvement
L'aube brillante de tout ce que la nuit
    a laissé de côté.
Continue ton vagabondage jusqu'à ma
    gorge
La voix dure, la gorge chaude

Plongeant ses propres lumières en lui-même
Pour en créer de plus brillantes,
Des bijoux de l'eau
(Quels chiens effervescents !)
Pâques !, Pâques ! La novelle année de rien
Je le voit pas de frissons inévitables,
Quel homme inbuvable !
Quel merveille à pied ! Partout la ficelle
Et l'horizon à travers les arbres,
Qui sont des poumons vivisectés.
Ils respirent sans qu'ils puissent le compre-
Les bâtiments sont les mêmes; ils ne regardent
même pas
Un baptême il y a deux ans. Un
Sacrement de la naissance
Toujours juste avant la chute
Les cigares et leurs bouches
La jeune fille et la fontaine
(Tout sentait le printemps)
Et comme elle JURAIT qu'elle venait
de vivre la pire année de sa vie !
Quelle sensation de ses pouvoirs croissants
Et l'arbre, et le lac restant
Ils restent les mêmes tout en comportant plu-
Et moi, je suis pas moins, je suis plus
Mais où ça ?
Tout sentait, sent, sentira le printemps

*La Collection des Classiques Garnier offre une remar-
quable édition de Manon Lescaut. Cette édition a été
établie par MM. F. Deloffre et R. Picard, professeurs
à la Sorbonne. Elle comprend, outre le texte, une introduction de plus de cent cinquante pages, des jugements
portés sur l'œuvre au moment de sa publication et
dans les années qui suivirent, des notes, un relevé de
variantes, une bibliographie et un glossaire. Elle est
enrichie de nombreuses illustrations*

ANTHOLOGIES POÉTIQUES FRANÇAISES MOYEN AGE, 1 (153) - MOYEN AGE, 2 (154) - XVIe SIÈCLE, 1 (45) - XVIe SIÈCLE, 2 (62) - XVIIe SIÈCLE, 1 (74) - XVIIe SIÈCLE, 2 (84) - XVIIIe SIÈCLE (101)

Dictionnaire anglais-français, français-anglais (1) - Dictionnaire espagnol-français, français-espagnol (2) - Dictionnaire italien-français, français-italien (9) - Dictionnaire allemand-français, français-allemand (10) - Dictionnaire latin-français (123) - Dictionnaire français-latin (124) - Dictionnaire Micro Robert (268) - Dictionnaire orthographique (276) - Dictionnaire des synonymes et antonymes (284)

ANDERSEN Contes (230)

ARISTOPHANE Théâtre complet, 1 (115) - Théâtre complet, 2 (116)

ARISTOTE Ethique de Nicomaque (43)

AUBIGNÉ Les Tragiques (190)

BALZAC Eugénie Grandet (3) - Le Médecin de campagne (40) - Une fille d'Eve (48) - La Femme de trente ans (69) - Le Contrat de mariage (98) - Illusions perdues (107) - Le Père Goriot (112) - Le Curé de village (135) - Pierrette (145) - Le Curé de Tours - La Grenadière - L'Illustre Gaudissart (165) - Splendeurs et Misères des courtisanes (175) - Physiologie du mariage (187) - Les Paysans (224) - La Peau de chagrin (242) - Le Lys dans la vallée (254)

BARBEY D'AUREVILLY Le Chevalier des Touches (63) - L'Ensorcelée (121) - Les Diaboliques (149)

BAUDELAIRE Les Fleurs du mal et autres poèmes (7) - Les Paradis artificiels (89) - Petits Poèmes en prose (Le Spleen de Paris) (136) - L'Art romantique (172)

BEAUMARCHAIS Théâtre (76)

BERLIOZ Mémoires, 1 (199) - Mémoires, 2 (200)

BERNARD Introduction à l'étude de la médecine expérimentale (85).

BERNARDIN DE SAINT-PIERRE Paul et Virginie (87) - Œuvres, 1 (205) - Œuvres, 2 (206)

BOSSUET Discours sur l'histoire universelle (110) - Sermon sur la mort et autres sermons (231)

BUSSY-RABUTIN Histoire amoureuse des Gaules (130)

CERVANTÈS L'Ingénieux Hidalgo Don Quichotte de la Manche, 1 (196) - L'Ingénieux Hidalgo Don Quichotte de la Manche, 2 (197)

CÉSAR La Guerre des Gaules (12)

CHAMFORT Produits de la civilisation perfectionnée - Maximes et pensées - Caractères et anecdotes (188)

CHATEAUBRIAND Atala - René (25) - Génie du christianisme, 1 (104) - Génie du christianisme, 2 (105) - Itinéraire de Paris à Jérusalem (184) - Vie de Rancé (195)

CICÉRON De la république - Des lois (38) - De la vieillesse - De l'amitié - Des devoirs (156)

COLETTE La Naissance du jour (202) - Le Blé en herbe (218)

COMTE Catéchisme positiviste (100)

CONSTANT Adolphe (80)

CORNEILLE Théâtre complet, 1 (179)

COURTELINE Théâtre (65) - Messieurs les Ronds-de-cuir (106) - Les Gaîtés de l'escadron (247)

CYRANO DE BERGERAC Voyage dans la Lune (L'Autre Monde ou les Etats et Empires de la Lune), suivi de Lettres diverses (232)

DAUDET Aventures prodigieuses de Tartarin de Tarascon (178) - Lettres de mon moulin (260)

DESCARTES Discours de la méthode, suivi d'extraits de la Dioptrique, des Météores, du Monde, de l'Homme, de Lettres et de la Vie de Descartes par Baillet (109)

DIDEROT Entretien entre d'Alembert et Diderot - Le Rêve de d'Alembert - Suite de l'Entretien (53) - Le Neveu de Rameau (143) - Entretiens sur le fils naturel - Paradoxe sur le comédien (164) - La Religieuse, suivie des extraits de la Correspondance littéraire de Grimm (177) - Les Bijoux indiscrets (192) - Jacques le Fataliste (234) - Supplément au voyage de Bougainville - Pensées philosophiques - Lettre sur les aveugles (252)

DIOGÈNE LAËRCE Vie, Doctrines et Sentences des philosophes illustres, 1 : Livres 1 à 5 (56) - Vie, Doctrines et Sentences des philosophes illustres, 2 : Livres 6 à 10 (77)

DOSTOÏEVSKI Crime et Châtiment, 1 (78) - Crime et Châtiment, 2 (79)

DU BELLAY Les Antiquités de Rome - Les Regrets (245)

DUMAS Les Trois Mousquetaires (144) - Vingt ans après, 1 (161) - Vingt ans après, 2 (162)

ÉPICTÈTE Voir MARC-AURÈLE (16)

ÉRASME Eloge de la folie, suivi de la Lettre d'Erasme à Dorpius (36)

ESCHYLE Théâtre complet (8)

EURIPIDE Théâtre complet, 1 (46) - Théâtre complet, 2 (93) - Théâtre complet, 3 (99) - Théâtre complet, 4 (122)

FÉNELON Les Aventures de Télémaque (168)

FLAUBERT Salammbô (22) - Trois contes (42) - Madame Bovary, suivie des Actes du procès (86) - Bouvard et Pécuchet, suivi du Dictionnaire des idées reçues (103) - La Tentation de saint Antoine (131) - L'Education sentimentale (219)

FROMENTIN Dominique (141)

GAUTIER Mademoiselle de Maupin (102) - Le Roman de la momie (118) - Le Capitaine Fracasse (147)

GŒTHE Faust (24) - Les Souffrances du jeune Werther (169)

GOGOL Récits de Pétersbourg (189)

HOMÈRE L'Iliade (60) - L'Odyssée (64)

HORACE Œuvres : Odes - Chant séculaire - Epodes - Satires - Epîtres - Art poétique (159)

HUGO Quatrevingt-Treize (59) - Les Chansons des rues et des bois (113) - Les Misérables, 1 (125) - Les Misérables, 2 (126) - Les Misérables, 3 (127) - Notre-Dame de Paris (134) - La Légende des siècles, 1 (157) - La Légende des siècles, 2 (158) - Odes et Ballades - Les Orientales (176) - Cromwell (185) - Les Feuilles d'automne, Les Chants du crépuscule (235)

KANT Critique de la raison pure (257)

LA BRUYÈRE Les Caractères précédés des Caractères de THÉOPHRASTE, suivis du Discours de réception à l'Académie (72)

LACLOS Les Liaisons dangereuses (13)

LA FAYETTE La Princesse de Clèves (82)

LA FONTAINE Fables (95)

LAMARTINE Jocelyn (138)

LAUTRÉAMONT Œuvres complètes : Les Chants de Maldoror - Poésies et Lettres (208)

LEIBNIZ Nouveaux Essais sur l'entendement humain (92) - Essais de Théodicée sur la bonté de Dieu, la liberté de l'homme et l'origine du mal (209)

LUCRÈCE De la nature (30)

MALHERBE Œuvres poétiques (251)

MARC - AURÈLE Pensées pour moi-même, suivies du Manuel d'ÉPICTÈTE (16)

MARIVAUX Le Paysan parvenu (73)

MAROT Œuvres poétiques (259)

MARX Le Capital. Livre 1 (213)

MAUPASSANT Contes de la Bécasse (272) - Une vie (274) Mademoiselle Fifi (277) - Le Rosier de Madame Husson (283)

MELVILLE Moby Dick (236)

MÉRIMÉE Colomba (32) - Théâtre de Clara Gazul, suivi de La Famille de Carvajal (173) - Les Ames du Purgatoire - Carmen (263)

MICHELET La Sorcière (83)

MILL L'Utilitarisme (183)

MOLIÈRE Œuvres complètes, 1 (33) - Œuvres complètes, 2 (41) - Œuvres complètes, 3 (54) Œuvres complètes, 4 (70)

MONTAIGNE Essais : Livre 1 (210) - Livre 2 (211) - Livre 3 (212)

MONTESQUIEU Lettres persanes (19) - Considérations sur les causes de la grandeur des Romains et de leur décadence (186)

MUSSET Théâtre, 1 (5) - Théâtre, 2 (14)

NERVAL Les Filles du feu - Les Chimères (44) - Promenades et souvenirs - Lettres à Jenny - Pandora - Aurélia (250)

OVIDE Les Métamorphoses (97)

PASCAL Lettres écrites à un provincial (151) - Pensées (266)

PENSEURS GRECS AVANT SOCRATE De Thalès de Milet à Prodicos de Céos (31)

PLATON Le Banquet - Phèdre (4) - Apologie de Socrate - Criton - Phédon (75) - La République (90) - Premiers Dialogues : Second Alcibiade - Hippias mineur - Premier Alcibiade - Euthyphron - Lachès - Charmide - Lysis - Hippias majeur - Ion (129) - Protagoras - Euthydème - Gorgias - Ménexène - Ménon - Cratyle (146) - Théétète - Parménide (163) - Sophiste - Politique - Philèbe - Timée - Critias (203)

POE Histoires extraordinaires (39) - Nouvelles Histoires extraordinaires (55) - Histoires grotesques et sérieuses (114)

PRÉVOST Histoire du chevalier des Grieux et de Manon Lescaut (140)

PROUDHON Qu'est-ce que la propriété ? (91)

RABELAIS La Vie très horrificque du grand Gargantua (180) - Pantagruel roy des Dipsodes,

restitué à son naturel avec ses faictz et prouesses espoventables (217) - Le Tiers livre des faicts et dicts héroïques du bon Pantagruel (225) - Le Quart livre des faicts et dicts héroïques du bon Pantagruel (240)

RACINE Théâtre complet, 1 (27) - Théâtre complet, 2 (37)

RENAN Souvenirs d'enfance et de jeunesse (265)

RENARD Poil de carotte (58) - Histoires naturelles (150)

RÉTIF DE LA BRETONNE La Paysanne pervertie (253)

RIMBAUD Œuvres poétiques (20)

ROUSSEAU Les Rêveries du promeneur solitaire (23) - Du Contrat social (94) - Emile ou de l'éducation (117) - Julie ou la Nouvelle Héloïse (148)- Lettre à M. d'Alembert sur les spectacles (160) - Les Confessions, 1 (181) - Les Confessions, 2 (182) - Discours sur les sciences et les arts - Discours sur l'origine de l'inégalité (243)

SADE Les Infortunes de la vertu (214)

SAINT AUGUSTIN Les Confessions (21)

SAINTE-BEUVE Volupté (204)

SALLUSTE Conjuration de Catilina - Guerre de Jugurtha - Histoires (174)

SAND La Mare au diable (35) - La Petite Fadette (155) - Mauprat (201) - Lettres d'un voyageur (241)

SHAKESPEARE Richard III - Roméo et Juliette - Hamlet (6) - Othello - Le Roi Lear - Macbeth (17) - Le Marchand de Venise - Beaucoup de bruit pour rien - Comme il vous plaira (29) - Les Deux Gentilshommes de Vérone - La Mégère apprivoisée - Peines d'amour perdues (47) - Titus Andronicus - Jules César-Antoine et Cléopâtre - Coriolan (61) - Le Songe d'une nuit d'été - Les Joyeuses Commères de Windsor - Le Soir des Rois (96)

SOPHOCLE Théâtre complet (18)

SPINOZA Œuvres, 1 (34) - Œuvres, 2 (50) - Œuvres 3, (57) - Œuvres, 4 (108)

STAËL De l'Allemagne, 1 (166) - De l'Allemagne, 2 (167)

STENDHAL Le Rouge et le Noir (11) - La Chartreuse de Parme (26) - De l'Amour (49) - Armance ou quelques scènes d'un salon de Paris en 1827 (137) - Racine et Shakespeare (226)

TACITE Annales (71)

THÉOPHRASTE Voir LA BRUYÈRE (72)

THUCYDIDE Histoire de la guerre du Péloponnèse, 1 (81) Histoire de la guerre du Péloponnèse, 2 (88)

TOURGUENIEV Premier amour (275)

VALLÈS L'Enfant (193) - Le Bachelier (221) - L'Insurgé (223)

VERLAINE Fêtes galantes - Romances sans paroles - La Bonne Chanson - Ecrits sur Rimbaud (285)

VIGNY Chatterton - Quitte pour la peur (171)

VILLEHARDOUIN La Conquête de Constantinople (215)

VILLON Œuvres poétiques (52)

VIRGILE L'Enéide (51) - Les Bucoliques - Les Géorgiques (128)

VOLTAIRE Lettres philosophiques (15) - Dictionnaire philosophique (28) - Romans et Contes (111) - Le Siècle de Louis XIV 1 (119) - Le Siècle de Louis XIV 2 (120) - Histoire de Charles XII (170)

VORAGINE La Légende dorée, 1 (132) - La Légende dorée, 2 (133)

XÉNOPHON Œuvres complètes, 1 (139) - Œuvres complètes, 2 (142) - Œuvres complètes, 3 (15)

ZOLA Germinal (191) - Nana (194) - L'Assommoir (198) - Pot-Bouille (207) - La Fortune des Rougon (216) - L'Affaire Dreyfus (La Vérité en marche) (220) - La Curée (227) - Thérèse Raquin (229) - Ecrits sur l'art - Mon Salon - Manet (238) - Au Bonheur des Dames (239) - Contes à Ninon (244) - Le Roman expérimental (248) - Le Ventre de Paris (246) - La Faute de l'abbé Mouret (249) - La Conquête de Plassans (255) - La Bête humaine (258) - Une page d'amour (262) - Son Excellence Eugène Rougon (264) - La Terre (267) - L'Argent (271) - La Joie de vivre (275) - L'Œuvre (278) Le Rêve (279) - Le Docteur Pascal (280) - La Débâcle (281)

★★★ Les Mille et Une Nuits, 1 (66) - Les Mille et Une Nuits, 2 (68) - Les Mille et Une Nuits, 3 (69) ★★★ Les Constitutions de France depuis 1789 (228)
★★★ Le Coran (237)
★★★ Le Roman de Renart (232)
★★★ Aucassin et Nicolette (261)
★★★ Le Roman de la Rose (270)

GF — TEXTE INTÉGRAL — GF

6654-1977. — Impr.-Reliure Maison Mame, Tours.
N° d'édition 9640. — 2ᵉ trimestre 1967 — PRINTED IN FRANCE.